# 鬼龍

今野 敏

角川文庫
19067

目次

# 主な登場人物

鬼龍浩一《きりゅうこういち》　鬼道衆の跡継ぎ。修行中の祓師

鬼龍武賢彦《たけさかひこ》　浩一の祖父。鬼道本宮を守る神主

鬼龍春彦《はるひこ》　浩一の父。禰宜《ねぎ》

中沢美紀《なかさわみき》　女性タレント

石成淳司《いしなりじゅんじ》　テレビ局のプロデューサー

水野《みずの》　テレビ局のカメラマン

佐々木《ささき》　食品加工会社「小梅屋」の人事課長

内田《うちだ》　人事課の男性社員

馬場《ばば》　総務課長

飯島清美《いいじまきよみ》　総務課の女性社員

枕崎《まくらざき》　専務

夏葉亮子《なつはりょうこ》　枕崎専務の秘書

久保恵理子《くぼえりこ》　東城大学文学部歴史学科の大学院生

# 1

局内で一番大きいGスタジオで、バラエティー番組の収録が行われていた。

『スクランブル女学園』というバラエティーで、女子高校生らのタレント予備軍を集めて、コントをやらせたり、クイズをやらせたりという内容だった。

ひとむかし前の『おニャン子クラブ』の路線を狙ったのだが、どうにも人気のほうは芳しくなかった。

視聴者の目が肥えてしまっているし、タイトルの割には、内容がおとなしすぎた。

番組よりも、実際の女子高生のほうが進んでいるという局内の批判の声もあった。

今の女子高生は、ブルセラ・ショップで下着を売り、そのついでにビデオ出演をしたりして小遣いを稼いでいる。

デートクラブを摘発したら、その半分が女子高生だったというご時世だ。

番組のプロデューサーは、石成淳司《いしなりじゅんじ》という名で、五十歳になろうとしていた。

ベテランのプロデューサーで、普通の会社で言えば部長クラスの待遇だ。長身で、白髪が混じった髪は、年を感じさせるというより、ロマンス・グレーという言葉を連想させる。

彼は、ハンサムな中年だった。いつも、高級なスーツを着こなしている。ネクタイのセンスがいいと評判だった。

しかし、番組の業績という意味では、今ひとつだった。

彼は、サブにはおらず、スタジオ内に立っていた。ハンサムな男の例にもれず、彼も多分にナルシストだった。

スタジオ内で優雅に収録を眺めている自分を他人に見せるのが好きだった。

実は、このナルシシズムが問題なのだと、スタッフたちは密《ひそ》かに囁《ささや》き合っていた。

番組のスタッフは、自分を恰好《かっこう》よく見せようなどと思う必要はない。そのエネルギーを画面に投入すべきだというのが、彼らの言い分だ。出演するタレントを目立たせなくてはならないのだ。

学芸会のようなコントの収録が続いている。十代の娘たちが、NGを出しては、ふざけ合っている。

カメラマンの水野《みずの》は、心のなかで舌をならした。

この子たちは、一流のタレントの真似をして喜んでいるのだ。各局が、番組改変の時期に、さまざまな番組のNGシーンを編集してバラエティーを作るようになってずいぶんと経つ。

その類《たぐい》のバラエティーは、すっかり人気番組となったのだ。彼女たちは、その番組でタレントたちのNGの際のリアクションを恰好いいと思い込み、あるいは、かわいいと信じて真似をしているのだ。

テレビの番組に出るということだけで、エリート意識を持っているのだ。

(ばかどもがよ……)

カメラマンの水野は、思った。

カメラは、三台あった。ハンディーを入れると四台だった。

水野は、タレント側から見て一番左側の三カメを担当している。

(なにタレントの真似事やってんだよ……)

この番組から、スターが育つことなどないのだと水野は思った。事実、この番組で注目されて別の番組に抜擢《ばってき》された例は、今のところ皆無だった。

ようやく学芸会もどきのコントが終わって、情報コーナーの収録に移った。

スタジオの隅で出番を待っていた少女が、コーナーの椅子に腰掛けたとたん、カメラマンの水野の不平不満は吹き飛んだ。

中沢美紀《なかさわみき》だった。

彼女は、水野のお気に入りだった。

水野は、プロデューサーの石成淳司も、彼女を気に入っていることを知っていた。いや、石成だけではない。ディレクターもフロア・ディレクターも、アシスタント・ディレクターも、他のカメラマンも彼女を気に入っていた。

中沢美紀が、椅子に腰掛けて、原稿の下読みをしている。その姿を見て石成がにこにこと笑っていた。

（だらしのない顔しやがって……）

水野は、思った。ランスルーまでは、カメラはすることがない。退屈なので、いろいろなことを考えてしまう。

（お気に入りなら、ちゃんと売ってみろよ。それが仕事だろう）

水野は、心のなかで、石成にそう言っていた。

本来なら、タレントを売るのは、石成の仕事ではない。彼は、視聴率を稼ぐのが仕事だ。

しかし、番組の性格上、出演しているタレントが売れれば、必然的に番組の人気も上がるのだ。

水野は、自分の立場が面白くなかった。いくら中沢美紀を気に入っていたとしても、いっしょに食事をすることすらできない。

一方、石成は、おおっぴらに中沢美紀と仲良くできる。カメラマンの水野は、すでに三十歳を過ぎている。十代のタレント予備軍のことで嫉妬《しっと》している自分が、世間一般の常識からいうとおかしいということはわかっている。

だが、どうしようもなかった。

いままで、もちろん、数多くのタレントを見てきたが、中沢美紀は特別だった。

長い素直な髪が背中に垂れている。顔だちは、小作りで愛らしい。前髪にアクセントを付けているが、それが控えめで上品な感じがする。

見かけはきわめて清楚《せいそ》なのだが、どこか妖艶《ようえん》な感じもする。

その妖艶さがどこからくるのか、水野にはさっぱりわからなかった。

中沢美紀は、常に礼儀正しく振る舞っている。他のタレント予備軍のように、乱暴な言葉ではしゃぎまわったりはしない。

体つきかもしれないと、水野は思った。学校の制服風の衣装を着ているが、そのチェックのスカートはたいへん短かった。

そこから伸びている脚は、決してモデルのように細く長くはなかった。だが、妙に男心をそそるのだ。

膝《ひざ》が目立たないまっすぐな脚。適度な肉付きがある。その形が抜群だった。

水野はカメラマンだから、テレビというものは、実際より太って映ることを知っていた。だから、タレントは、実際に会ってみるとひどく細く感じる。

中沢美紀は、テレビに映るとかなり太って見えて当然だった。しかし、不思議なことにそういう感じがしなかった。

健康的というのとは、ちょっと違うが、彼女の肉付きが、ちょうどぎりぎりのところで魅力となっているのだ。色の白さも関係しているかもしれないと水野は考えていた。

白くてすべすべして柔らかそうな感じが、画面を通しても感じられるのだ。

ドライ・リハーサルに続き、ランスルーを行い、本番の収録だった。視聴者から送られてきたいろいろな情報を紹介するというコーナーだ。

イベントの紹介も行う。

中沢美紀は、メインの司会の男性アナウンサーと掛け合いで問題なく本番を終えた。

中沢美紀が喋《しゃべ》っているあいだ、スタジオ中のスタッフが彼女に視線を送っているような感じだった。


(この子か……)

スタジオの隅で見学していた鬼龍浩一《きりゅうこういち》は、心のなかでつぶやいた。

(結界を張っている。強力な陰《いん》の気……。それに、思念……)

鬼龍浩一は、音を立てぬように気をつけてスタジオ内を見回していた。

（なるほど……。これでは、陽《よう》の気の強い男はたまらん……）

彼は、実に目立たない恰好をしていた。サラリーマンがよく着ている紺色のスーツを着ている。ネクタイは、何の変哲もないレジメンタル・タイだった。靴は、黒のプレーン・トゥ。

ヘアスタイルは、長くもなく短くもなく、平均的なサラリーマンのようだ。

テレビ局のスタジオなどは、みな奇抜な恰好をしているようなイメージがあるが、実はそうでもない。

代理店やスポンサー関係、プロダクションの人間などは、たいていスーツを着ているからだ。

（若い娘の処置か……。楽な仕事かもしれないな……）

鬼龍浩一がそう思ったとき、スタジオのライトが次々と消えていった。

「撤収、撤収……」

誰かが、そう叫んでいた。収録が終わり、撤収作業にかかるのだ。

タレントたちが「お疲れさまでした」と挨拶《あいさつ》をしてスタジオを出ていく。この番組に出演しているタレントたちの多くは、芸能プロダクションから何人か一まとめで送り込まれる「仕出し」のタレントだ。

楽屋も大部屋がひとつのはずだった。

ひとり、中沢美紀がスタジオに残っていた。男性スタッフが、何とか彼女と話をしたいと近寄ってきて、なかなかスタジオを去るきっかけがつかめないのだ。

ついにプロデューサーの石成が中沢美紀に近づき、何事か声を掛けた。

プロデューサーが登場しては、他のスタッフは引き下がるしかなかった。

「お疲れさまでしたー！」

中沢美紀は、大きな声で言って、スタジオを出ていった。

鬼龍浩一は、つぶやいた。

「さて……。お仕事、お仕事……。亡者狩りだ……」

タレントたちが引き上げた楽屋に、中沢美紀がひとりで待っていた。彼女は、私服に着替えていた。

普段、仕事できれいな恰好《かっこう》をするタレントたちは、普段着は、ラフな場合が多い。

たいていは、ジーパンなどの楽な恰好をしている。

だが、中沢美紀は、ミニのワンピースを着ていた。

プロダクションのマネージャーなどはついていない。彼女も、「仕出し」扱いなのだ。

ひとりぽつんと、広い楽屋に残った彼女は、手持ち無沙汰《ぶさた》の様子で、鏡を眺めていた。

タレントという人種は、男も女も、鏡があると覗《のぞ》き込まずにいられない。

駅であろうが、店の中であろうが、食事中だろうが、どこかに鏡があったら、必ず自分の姿を映してみるのだ。

ドアがノックされた。

「いるかい……？」

石成プロデューサーが顔を出した。

中沢美紀は、立ち上がると、少女らしく、勢いよく礼をした。

彼女の瞳《ひとみ》が、きらきらと光って見える。目がしっとりと濡《ぬ》れている。愛らしい容貌《ようぼう》とは対照的な色気を感じさせる。

石成プロデューサーは、鼓動が激しくなるのを感じた。頭に血が上るのを感じる。

「実は、話があって待ってもらったんだ」

「お話……？」

「美紀ちゃんの出番をもっと増やそうと思ってね」

「本当ですか！　うれしい！」

「美紀ちゃんだけのためじゃなくて、番組のためでもあるんだ。美紀ちゃん、人気出てきたからね。その人気に番組も便乗しようってわけさ」

石成は、自分の声が美しく響くように、低めの声でしゃべろうとしていた。だが、興奮のため、声がうわずってしまいそうになる。

(どうしたというのだ……)

彼は、しゃべりながら自問していた。(私は、プロデューサーで、相手はタレントの卵じゃないか……)

だが、彼女と自分のあいだに、なにかねっとりした空気が漂い始めたような気がするのだ。

まるで、長風呂《ながぶろ》でもしたように首筋から上が火照ってくるような感じがした。

中沢美紀は、無邪気に、プロデューサーの右手を両手で握った。

「ありがとうございます、ほんとうに……」

その瞬間、石成は、軽いめまいを感じた。握られたほうの腕が痺《しび》れてしまったようだ。しっとりとやわらかい中沢美紀のてのひらを感じて、石成の興奮は一気に高まった。

手を握られただけで、石成は、性的な快感を感じてしまった。自分のものが、女性の性器に包まれたような感じがしたのだ。

「どんなことをするんですか?」

中沢美紀は、うれしそうに顔を近づけ、尋ねた。

ふたりの間の熱を持った空気がふいに濃密になった。

石成は、中沢美紀の肩を両手でつかんだ。中沢美紀は、拒否しない。自分から誘っているわけではないが、どうしても男が手を出したくなるような雰囲気を発散させている。

若々しい体臭と香水、それにリンスの香りや化粧の甘い香りが混じって、石成の興奮をさらにかき立てた。

中沢美紀は、潤んだ目で石成を見ている。石成はその目が期待を孕《はら》んでいるような気がした。いや、彼はそう確信した。

石成は、中沢美紀をゆっくりと抱き寄せた。彼女の体温が、両方の掌《て》に伝わってくる。彼女の肩は、見かけのとおり、柔らかかった。

ワンピースを通して、彼女の体の熱さとしっとりと汗ばんだ感触が伝わってくる。ふたりの間にあった、ねっとりとした熱い空気がふたりを包んでしまった。

もう石成はどうすることもできなかった。彼は、自分が何をしようとしているのか頭の片隅では自覚していた。

(ばかなことはよせ……)

消え入りそうになっている理性がそうささやいていた。

だが、その理性はじきに消え失《う》せた。彼は、両手を中沢美紀の背に回した。そうせずにはいられなかった。

体中が火照っている。

彼女に触れるだけで、猛々《たけだけ》しく勃起《ぼっき》していた。

周囲の空気がまるで変化してしまっていた。まるで、水飴《みずあめ》のなかにいるようにねっとりとした感じがする。その粘液質の空気は、ひどく甘ったるく感じられた。

石成は、病気で熱を出したときのようになっていた。周囲の風景がぼうっと歪《ゆが》みはじめ、意味をなさなくなってきつつあった。

中沢美紀を引き寄せたために、彼女の両方のふとももが石成の膝《ひざ》に触れていた。

膝が溶けてしまいそうだった。

それくらい中沢美紀のふとももの感触はすばらしかった。やわらかく、膝がどこまでも埋まってしまいそうだ。それでいて、若々しい弾力がある。そして、熱い。

石成は、たまらず、膝をその両方のふとももの間に割り込ませようとした。

少し力を入れるだけで、するりと膝がはいった。その膝が割り込んでいくときの感触に、また石成は目眩《めまい》を起こしそうになった。

（こんな女がいただろうか……。こんなにすばらしい女が……）

石成は、うわごとのように心のなかでつぶやいていた。

「あん……。プロデューサー……」

石成の胸の中で中沢美紀がつぶやいた。その甘い声が、完全に石成を狂わせようとしていた。

石成は、もうどうなってもいいと考えはじめていた。

楽屋に近づいた鬼龍浩一は、そのあたりに渦巻いている濃密な空気に気づいた。

（くそ……。陰の気がこんなに充満している）

彼は焦った。

（亡者め……。誰かを虜《とりこ》にしようとしているな……）

陰の気と鬼龍浩一は呼んだ。その、催淫剤《さいいんざい》のようなどろりとした雰囲気が、楽屋の大部屋を包んでいるのに彼は気づいた。

彼は、精神を集中させるように立ち、深呼吸をくりかえした。

鬼龍浩一の周囲から清涼な空気が放出されているようだった。真夏に西日がさす暑苦しい部屋に帰り、エアコンを最強にしてかけたときのような感じだった。

どろりとした甘い空気は、たちまち、中和されていった。

そうしておいて、鬼龍浩一は、楽屋の大部屋をノックした。

ノックすると、返事を待たずに、ドアを開ける。

石成プロデューサーが、中沢美紀を抱きすくめているのが見えた。

石成の両方の手は、彼女の背や尻《しり》をまさぐっており、ワンピースのすそがめくれて、白くて形のいいふとももがすっかり見えていた。彼女はストッキングをはいておらず、純白のパンティーがのぞいていた。

石成が、はっとした表情でドアのほうを向いた。彼の顔はすっかり上気している。

中沢美紀の白い頬も、紅をさしたようになっている。目がすっかり潤んでいる。

石成は、ごまかすこともできず、おもむろに、中沢美紀を引き離すと鬼龍浩一に言った。

「君は何だね？」

「あ、すいません。部屋を間違えました」

鬼龍浩一は言った。「迷っちゃって……。あれ、中沢美紀さん？」

鬼龍浩一は、うれしそうに言った。

「ナカザワじゃない。ナカサワだ」

石成が言った。「濁らないんだよ」

「僕、ファンなんですよ。あの……。握手してもらえますか……？」

石成は、まずいところを見られたので、強くは出られない。彼は、中沢美紀に言った。

「握手くらいならいいだろう。ね……？」

中沢美紀はにっこりとうなずいた。鬼龍浩一は右手を差し出した。

中沢美紀がその手を握る。

その瞬間、激しく電気がスパークするような現象が起きた。目に見えたわけではない。だが、傍らにいた石成にもそれは感じられた。

中沢美紀は、のけ反った。

鬼龍浩一だけが、平然とした顔をしていた。中沢美紀は、急に落ち着きをなくした。顔色がみるみる蒼《あお》くなっていった。

「失礼します」

彼女は言って、楽屋を飛び出して行った。

「何だったんだ、今のは？」

石成は鬼龍浩一に尋ねた。

「気にしないでください」

鬼龍浩一は、中沢美紀を追おうとした。

「君……」

石成は、鬼龍浩一を呼び止めた。

「何です？」

「その……。何が何だかわからんのだが……。とにかく、君には感謝するよ。もう少しで、取り返しのつかない過ちを犯すところだったよ……」

「あのようなことは、テレビの世界では、日常茶飯事だと思っていましたが……」

「よしてくれ……」

石成は顔をしかめて見せた。

鬼龍浩一は、楽屋を飛び出して、中沢美紀の姿を捜した。

## 2

水野は、廊下を小走りに駆けてくる中沢美紀を見て、心臓が高鳴るのを感じた。

中沢美紀の顔が真っ蒼《まさお》だった。

「どうした、美紀ちゃん……」

「あ……。カメラマンの……」

中沢美紀は水野の脇を走り抜けようとして立ち止まった。

「水野だ」

「変な男が追ってくるんです」

「テレビ局の中でか？」

「ええ……」

「警備員を呼ぼう」

「いえ、それより、どこかにかくまってくれませんか？」

水野にとっては、そちらの申し出のほうがはるかに魅力的だった。彼は瞬時に頭を働かせた。

「こっちだ。早く」

水野は、いま来た廊下を戻りはじめた。

中沢美紀は、後についていく。水野は、彼女を守るナイトの気分だった。

彼は、左の肘《ひじ》のあたりを握られるのを感じた。中沢美紀が右手を伸ばして彼の肘をつかんだのだ。

水野の胸は高鳴った。

体が熱くなりはじめる。

まるで、俺は高校生のようだ、と水野は思った。生まれて初めて女の子と腕を組んだときのような……、いや、それよりもはるかに刺激的な気分だった。

水野は、編集室がひとつあいているのを知っていた。ついいましがた、作業を終えてそこから出てきたディレクターと立ち話をしてきたところだった。

水野は、あいている編集室に中沢美紀を先に入れ、周囲を見回した。

中沢美紀を追ってくる男というのが気になったのだが、それより誰かに見られるのがいやだった。さいわい、編集室のドアは、廊下を曲がって奥まったところにある。

廊下を曲がった先には、始終人が往き来しているが、こっち側は編集室に用がある人間しか来ないのだった。

しかも、すでに夜の八時だったので、一般の社員は帰宅しており、廊下に人影はなかった。

編集室のドアを閉じると、完全に無音となった。

水野も中沢美紀も息を弾ませていた。

水野は、肩で息をしている彼女を見て、悩ましいと思った。そして、走ったせいではなく、別の理由で息が乱れはじめるのを感じていた。

妄想がわいてきた。

中学時代、学校の放送室は、女の子に悪戯《いたずら》するのにもってこいの場所だった。彼は、ませた女の子を放送室に誘い込み、じゃれ合ったことがあった。

その思い出は強烈だった。その時の情景を彼は思い出していた。

中沢美紀の色白の頰が、ピンク色に上気している。潤んだ目で水野を見つめていた。やわらかそうな体をワンピースが包んでいる。そのミニのワンピースから、形のいい脚が伸びていた。

水野は、口の中が乾いてくるのを感じた。

鼓動がいっそう激しくなる。

そのとき、水野は、編集室のなかに満ちてくる奇妙な雰囲気に気づかなかった。

それはさきほど、楽屋に立ち込めていた濃密な空気だった。水野は、明らかにその空気の影響を受けているのだが、本人はそのことに気づいていない。

「美紀ちゃん……」

水野は、切なげに言った。

中沢美紀は、ただ黙って水野を見つめている。

水野は、中沢美紀に触れたくてたまらなくなった。

そのしなやかな手でもいい。つやつやした長い髪でもいい。丸い頰でもいい。

水野は手を伸ばした。

彼女の髪に触れる。そっと髪を撫《な》でながらてのひらが下がっていく。掌が、頰に触れた。

美紀は、その水野の手の上に自分の手を重ねた。水野の手に頰を押しつけるような仕草をした。

水野は、たまらなくなった。

彼は、美紀を抱きしめた。

「水野さん……」

中沢美紀は、不安げにつぶやいたが、それが、妙に煽情的《せんじょうてき》に水野には感じられた。

中沢美紀の体の感触が、水野をさらに興奮させた。

駆けてきたせいか、中沢美紀の体は、わずかに汗ばんでいた。そのしっとりとした感触がてのひらや腕に伝わってくる。

彼女は、なにかコロンをつけていたが、それが高まった体温とともに、水野を包んだ。水野は、もう抑制がきかなくなっていた。

編集室内の熱っぽく気だるい空気がさらに濃密になった。その空気は、いまや、水野と中沢美紀にねっとりとまとわりついていた。水野は、喉《のど》の奥からうめくような声を発していた。

彼は、妄想の世界に入り込んでいた。

彼は、想像のなかで、中沢美紀を犯そうとしていた。

着ている愛らしいワンピースの胸元を押し開いた。

中沢美紀は、何とか水野の手を逃れようとしていた。もがくたびに、ふたりの体が擦《こす》れ合う。

すべすべした中沢美紀の肌が水野にすりつけられる。どこもかしこも柔らかかった。その肌は汗ばんで、しっとりと吸いつくような感じだった。

水野は、彼女の両脚の間に膝《ひざ》を差し込んでいた。さらにももを押し込む。中沢美紀のふとももの感触は、思っていたよりずっとすばらしかった。

水野は、ブラジャーを引き上げた。豊かな丸い膨らみがぷるんと飛び出して揺れた。

その頂点が、桜色に色づいている。色が白いので、そこの色も淡い感じだった。

水野は、膨らみに顔を押しつけた。美紀は、のけぞって苦痛に耐えるような表情をしている。

ワンピースの裾《すそ》がたくしあがり、ふとものすべてが露《あらわ》になった。

すでに、水野は、自分が妄想の世界にいるのか現実の世界にいるのかわからなくなっていた。

彼は、確かに、ただ、美紀を抱きしめているだけのはずだった。それが現実のはずだ。

美紀を犯しているのは、妄想に過ぎない。だが、もはや、彼にはその区別がつかなくなっていた。

彼は、美紀のワンピースを引き裂いた。

自分が、発情した獣そのものになっていく気がした。

事実、彼は、変化しはじめていた。目は、大きく見開かれ血走っている。眼球が飛び出そうな感じだ。口許《くちもと》が歪《ゆが》み、まるで、口が裂けたようにみえる。その口許から、歯を剝《む》きだしている。

ワンピースに続き、彼は、下着を引き裂いた。

美紀は、ほとんど全裸にされていた。

引き裂かれた端切れが素肌にまとわりついているに過ぎない。ちぎれたパンティーのゴムがふとももに残っていて、それがひどく欲情をそそった。

水野は、ズボンを下げた。彼はそそり立っていた。まるで十代のときのようだった。

彼は、獣じみたうめき声を洩《も》らしながら、美紀の下半身めがけて、腰を押しつけた。美紀の両脚が徐々に開かれていった。ある角度まで開いたとき、不意に分け入っていくのを感じた。

一度、ひっかかりを感じたが、力を込めると、すぐに滑りこんでいった。

ぬめぬめとしていて、窮屈だった。水野は、その感触に、頭の中が爆発しそうになった。

鬼龍浩一は、またしても、淫《みだ》らな気配が漏れだしているのに気づいていた。

(まずいな……。し損じたか……。また、ひとり、亡者の虜《とりこ》になったかもしれない……)

彼は、すぐにその場所を発見した。

人気《ひとけ》のない編集室だった。

彼は、気を凝らした。

今度は、討ちもらすわけにはいかない。

彼は、まず、自分の体内に気を巡らせた。気功の世界では、小周天法《しょうしゅうてんほう》と呼ばれる技法で、気を操る術において、ごく一般的な手法だった。

任脈《にんみゃく》と督脈《とくみゃく》——つまり、体の前面と背面の正中線《せいちゅうせん》にそって気を回すのだ。

さらに、眉間《みけん》、胸、下腹の三箇所にある丹田《たんでん》をフル稼働させる。丹田は気のバッテリーだ。

彼は、その状態を保ちながら、いきなり、編集室のドアを開いた。

編集室のなかは、すさまじいありさまだった。

カメラマンが中沢美紀をコンソールに押しつけさかんに腰を使っている。淫らな音が響いている。

そのカメラマンの姿は、すでに人間とは言いがたかった。たしかに、形は人間だが、行動が獣のようだった。

歯を剥き出し、さかんに首を振っている。口許からよだれを垂らし、中沢美紀の真っ白い肌にかぶりついている。

中沢美紀も両手をカメラマンの体にそってさまよわせており、彼に合わせるように腰を動かしているようだった。

カメラマンは、凄《すさ》まじい快感を持て余しているようだった。男が、これほどに快感を体験することは、現実ではありえない。

つまり、これは現実ではなかった。

鬼龍浩一にはそれがわかっていた。

この編集室が結界となっており、そのなかが、亡者の妄想の世界となっているのだ。

正確に言えば、カメラマンと中沢美紀の想念が絡み合い、共振してこの世界を作り上げているのだ。

鬼龍浩一は焦った。

ぐずぐずしていたら、彼らは、もとの世界に戻れなくなってしまう。いや、危険なのは、亡者の虜になったカメラマンのほうだった。彼は、永遠に妄想の世界にとどまってしまうかもしれない。

廃人と化してしまうのだ。

鬼龍浩一は、両手を差し上げた。

その手に気を充実させる。

「陰陽の理《ことわり》を知れ……」

鬼龍浩一の印象が一変していた。眼光がさえざえと鋭くなる。

髪の毛が逆立って、野性的な容貌《ようぼう》になっていた。

危険なくらいに精悍《せいかん》な感じだった。

鬼龍浩一は、性の営みを続けているふたりに両手を振り降ろした。

編集室のなか――つまり、結界のなかが一瞬まばゆく光った。落雷の瞬間のようだった。

次の瞬間、真っ暗になった。

濃密な闇だった。まったく何も見えない。

その闇のなかで、鬼龍浩一の声が聞こえた。

「無極の天界に、陰陽の理をもって、太極の乾坤《けんこん》をもたらしたまえ……」

闇のなかに、一筋の光が走り、みるみる周囲が明るくなった。

もとの編集室の風景だった。

カメラマンと中沢美紀が抱き合っているのを、鬼龍浩一が見つめていた。

カメラマンの水野も中沢美紀も放心したような表情をしている。ふたりの衣服は乱れてはいない。

ただ、水野が、中沢美紀を抱いているだけだ。

水野が、夢から覚めたような顔をした。初めて鬼龍浩一に気づいたようだ。

中沢美紀も同様だった。

水野は、はっとして、手を放した。中沢美紀からさっと離れた。

彼は、鬼龍浩一を見て、何か言おうとしていた。だが、何を言っていいのかわからないようだった。

「いや……。これは……。違うんだ……」

水野は、なんとかその場を言い繕おうとしている。

中沢美紀は、目をぱちくりとしばたたいていた。

鬼龍浩一は、中沢美紀を観察した。

どうやら、彼女を亡者からもとに戻すことができたようだと、彼は判断した。

鬼龍浩一を見ても、彼女は逃げようとしなかった。さきほど逃げだしたことも、忘れているだろうと、鬼龍浩一は思った。

彼は、うろたえている水野に言った。

「俺は何も見ていない。あんたは、何もしていない。心配するな」

鬼龍浩一は、中沢美紀に言った。

「だいじょうぶか？　どんな気分だ？」

中沢美紀は、まだ、惚《ほう》けたような表情をしている。その、表情がまたかわいらしかった。

「あたし、どうして、ここにいるのかしら……？」

「君は、楽屋で石成プロデューサーと話をしていた。そのときに、君は気分が悪くなった。無理なダイエットでもしているんじゃないのか？　石成プロデューサーは、君を、ここで休ませようと思った。楽屋はすぐに使う予定だったからな……。プロデューサーは、たまたま近くにいたこのカメラマンに君の世話をするように言った。彼は、用事があったんだ」

「そうだ……」

水野は救われたように言った。「俺は、介抱していただけだ……」

鬼龍浩一は、彼を見た。そして、うなずいた。

彼は、中沢美紀に目を移すと言った。

「歩けそうか？　タクシーを呼んでもらおう」

中沢美紀は、こたえた。

「だいじょうぶです。別に気分は悪くありません。ただ、何があったのかわからないだけです。頭がぼうっとしちゃって……」

「じゃあ、もう、行ったほうがいい」

「はい……」

彼女は、水野に言った。「どうも、お世話をかけました」

「いや……。いいんだ……」

中沢美紀は、編集室を出ていった。

鬼龍浩一も出ていこうとした。水野が、鬼龍浩一に言った。

「あんたは、何なんだ……？」

「通りがかりの者だ」

「俺は、本当は、何をしていたんだ？」

水野は、その問いが奇妙なものであることを自覚していた。しかし、そう尋ねずにはいられなかった。

「彼女を介抱していたんだろう？」

「そうなのか……？」

「本当のことを教えてやろうか？」

「本当のこと？」

「あんたは、亡者の虜になりかけていたんだ」

「亡者……？　亡者って何だ？」

「嫉妬《しっと》、恨み、憎しみ、恐れ、物欲、金銭欲、性欲……。そういった陰の気が凝り固まって、人間は亡者となる。ときに、亡者は、その陰の力を使って、人を虜にするのさ。あんた、もう少しで廃人になるところだった」

水野は、茫然《ぼうぜん》とした。

「まさか……。亡者って……。あの中沢美紀のことを言っているのか……？」

「そうだ。だが、安心するんだ。俺が祓《はら》った。もとの人間に戻ったはずだ」

「祓った……？」

「正確に言うと、陰陽のバランスを整えたんだ」

「陰陽……？　あんた、何なんだよ。通りがかりの者なんかじゃないじゃないか……」

「鬼道衆《きどうしゅう》の者だ。亡者が出て依頼があったらまた来るよ。テレビ局は、亡者や亡者になりかけている人間が多いんで有名なんだよ。陰の気が集まりやすいんだな……」

「鬼道衆って何だ？」

「まあ……。御祓い屋だと思ってくれ。憑《つ》かれたら祓ってやるよ。じゃあな」

「待てよ、おい……。中沢美紀は普通の人間じゃないのか？」

「もう、普通の人間だよ。安心して仲良くしてやるんだな。だが、気をつけろ。もともと陰の気を集めやすいタイプだ」

「どういう意味だ？」

「男を泣かす女なんだよ」

水野は、まだ訳がわからない顔をしている。何をどう尋ねていいか見当がつかないようだ。

そんな水野を放っておいて、鬼龍浩一は、その場を後にした。

鬼龍浩一は、鬼道衆の者と名乗った。鬼道衆というのは、今では、宗教法人となっており、そこそこに信者を集めているが、その源流は、古代あるいは先史時代にまでさかのぼるといわれている。

陰陽道《おんみょうどう》の一派だとされているが、役行者《えんのぎょうじゃ》や安倍晴明《あべのせいめい》よりも古いのだと一族の者は語っているらしい。

陰陽道というのは、後世、真言密教の影響を受けた修験道《しゅげんどう》と混同されたが、実は、純粋に古神道の流れを残しているのだ。

鬼道という言葉は、『魏志倭人伝《ぎしわじんでん》』に見られる。ちなみに、日本で一般に魏志倭人伝と呼ばれているのは、正しくは、三国志魏書東夷《とうい》伝倭人条のことだ。

卑弥呼《ひみこ》のことを記述する箇所で、「鬼道に事《つか》え能《よ》く衆を惑わす」とある。この場合の鬼道は、中国人からみた邪宗のことであり、卑弥呼のシャーマニズムを表わしているといわれている。

だが、鬼道衆は卑弥呼の鬼道も決して原始的なシャーマニズムではなかったと主張している。鬼道は、極めて高度な理論を背景とした有効な術の体系だと、彼らは言う。

# 3

鬼龍浩一は、仕事を終えて自宅に引き上げてきた。彼は、杉並区の高円寺《こうえんじ》に住んでいる。

環七と早稲田《わせだ》通りが交差する大和《やまと》陸橋のそばの安アパート住まいだった。学生が住むようなアパートだった。

彼は、ささやかな夢を持っていた。いつかは、港を見下ろす高級マンションに住みたいと密《ひそ》かに願っているのだ。

鬼龍浩一はひどく疲れていた。

仕事のあとは、いつもそうだった。脱力感が激しい。

気を放出してしまったからだった。彼は、普段の心得として、蓄気法を行っているが、亡者を始末すると、それでも気は足りなくなってしまう。

回復するまで、じっと待つしかないのだ。

彼の部屋は、建物の外側についている鉄板と鉄パイプで出来た階段を昇った二階にあった。

その階段を昇るのが一苦労だった。足を引きずるように階段を上がった。

一刻もはやく、ベッドに倒れ込みたかった。食事をする気にもなれない。

鬼龍浩一は、気が不足しているときは、食事をしないほうがかえって早く回復すると教わっていた。

彼は、かんかんと足音を立てて階段をようやく昇り切った。そこで、はっと足を止めた。

彼が住む二〇一号室の前に人影があった。

部屋のドアが並ぶテラス状の外廊下は、薄暗かった。

蛍光灯が二箇所あったが、どちらも端が紫色に変色しており、光がちらちらした。

すでにその片方は、点《つ》いたり消えたりを繰り返している。

緊張が、ほんの一瞬だが、ひどい疲労感を忘れさせた。

人影は明らかに女性だった。

彼は、自分を訪ねてくる女性になど覚えはない。

「その部屋の人に用ですか？」

鬼龍浩一は、尋ねた。

その女性は、はっと鬼龍浩一のほうを向いた。地味な感じの女だった。紺色のブレザーを着ており、うまくいけばトラディッショナルなおしゃれになりそうだが、彼女の場合、失敗していた。

ベージュのコットンパンツをはいており、ボタンダウンのシャツを着ている。そこまではよかったが、あまりに公式的すぎて、まったく目立たない服装になってしまっていた。

ヘアスタイルも問題だった。長い髪なのだが、後ろで無造作にひとつに束ねていた。

「はい……。あの……、鬼龍さんに……。鬼龍さんをご存じですか？」

「知っている。俺だ」

「鬼龍浩一さん？」

「そうだ」

「ああ、よかった。お出かけなので、出直そうかお待ちしようか迷ってたんです」

女の声は、第一印象より若いことを物語っている。

「何の用だい？」

「あの……。あたし、東城大学文学部歴史学科の久保《くぼ》恵理子《えりこ》といいます」

「大学生？」

「院生です」

「だから、俺に何の用？」

「あたし、桜井《さくらい》市に行ってきました。奈良県の……」

「そう？　楽しかった？　用がないのなら、俺は眠りたいんだ」

「あの……。あなたの御実家のほうに伺ったのですが……」

「確かに、俺の故郷は奈良の桜井だが……」

「鬼道衆の本山ですね？」

「寺じゃないんだから、本山とはいわないよ。本宮だ」

「そちらで、あなたを訪ねるようにいわれたのです」

「何のために？」

「あたし、鬼について調べているんです」

「鬼……？」

「そうです。古代史のひとつの手掛かりとして鬼伝説を考えてみようと思って。伝説は、民俗学的にも価値のあるものなんです。民族史の観点からも重要なものだと、あたしは考えています」

「じいさんだな……」

「え……？」

「じいさんが、あんたに俺と会えと言ったんだ。そうだろう」

「ええ……。鬼龍武賢彦《たけさかひこ》とおっしゃるご老人が……」

「じじいめ……。面倒くさいので、俺に押しつけたな……」

「は……？」

「俺は、鬼のことなんて何も知らないよ。そういうわけで、おやすみ。気をつけてな……」

「鬼龍さんは、鬼の一族だとお聞きしました」

「誰に？」

「武賢彦老人からです」

「そんなこと、あんたに言ったのか、あのじじい」

「おっしゃいました」

「惚《ぼ》けてんだよ。忘れてくれ。じゃあな」

「そうはいかないんです。あたしの修士論文がかかっているんです」

「あんたの修士論文と俺は何の関係もない」

「あるんです。あたしは、鬼の研究をしているんです」

「だから、俺は鬼とは関係ないって。疲れてるんだ。帰ってくれよ、もう……」

鬼龍は、ドアの鍵穴《かぎあな》に鍵を差し込んだ。

「鬼とナガスネ彦は、何か関係があるのですか？」

「なんだって……？」

「トミノナガスネ彦です」

「さあな……」

鬼龍はドアを開けた。

「龍と鬼の関係は？」

「知らないよ」

鬼龍は、部屋に入って、ドアを閉めた。

「ニギハヤヒの命《みこと》と鬼の関係は……？」

久保恵理子は、ドアの前で立ち尽くしていた。

やがて、彼女は、あきらめて立ち去ろうとした。

そのとき、ドアが再び開いた。久保恵理子は、はっと振り向いた。

鬼龍浩一が言った。

「追い返しても、どうせまた来るんだろう？」

「そのつもりです」

「仕事を終えてくたくたなんだ。話があるのなら手短に頼む」

「おじゃましていいんですか？」

「入ってくれ。散らかってるぜ」

った。

　台所と六畳一間の狭い部屋だ。

　シングルベッドに炬燵《こたつ》、ロッカー簞笥《だんす》にチェスト。それだけで、部屋はいっぱいだった。

　久保恵理子は、炬燵に足を入れず、正座している。

　鬼龍浩一は、炬燵に向かってあぐらをかいた。

「何で鬼のことなんか研究してるんだ？」

「あたしは、日本の古代民族の研究をしているんです。鬼は、民族史のうえで、とても興味深い伝説なんです」

「ほう……。どういうふうに……？」

「柳田国男《やなぎたくにお》は、天つ神に隷属しなかった国つ神の一部が鬼になったと言っています。柳田国男は、天つ神と国つ神を里の勢力と山の勢力と考えました。日本の先住民は、狩猟生活を中心とした山の文化に属していました。そこへ、大陸から、稲作を中心とする農耕文化を持った里の人々が渡ってくるのです。稲作農業の里人たちは、やがて国をつくり天つ神という権力を生み出していきます。里人の権力に、従順に服従した山人は、国つ神となります。しかし、どうしても里人に従わない山人が出てきます。それが、鬼と呼ばれるのだと、柳田国男は言っているのです。鬼は、律令時代を通じて、盛んに時の権力を苦しめます。さまざまな鬼退治の民話は、そうした反逆者との戦いを象徴したものだという説もあるのです」

鬼龍浩一は、あくびを洩《も》らした。

「俺、本当に疲れているんだ……」

「ごめんなさい。この柳田国男の説を知って、あたしは鬼に興味を持ちはじめたのです。鬼という文字は、中国からやって来たのですが、中国で鬼という字は、死人の霊魂を意味するのです。明らかに、日本のオニとは違っています。朝鮮の鬼も、だいたいは、死霊のことで、中国に似ています。日本人の鬼のとらえ方は、実に複雑でかなり実感を伴っているのです。さらに、鬼伝説と古代の精銅・製鉄が深い関連を持っていると、何人もの学者が指摘しているのです」

「……で、俺に何を尋ねたいんだ？」

「鬼道のことです。一般に、日本人は、鬼という言葉を忌み嫌います。なのに、あなたたちの家系は、堂々と鬼道を名乗っていらっしゃいます。その訳が知りたいのです」

「俺の実家では何も説明しなかったのだな……？」

「先祖から伝わっていることだから、とだけ……」

「なら、俺に聞いても無駄だよ。俺も同じことしかこたえられない」

「あら、武賢彦さんは、あなたなら、きっと丁寧に教えてくれるはずだとおっしゃったわ……」

鬼龍浩一は、驚いて久保恵理子を見た。

「鬼道のことを教えろと、あのじいさんが言ったのか？」

「あなたに聞けと……」

鬼龍浩一は、つぶやいた。

「どうしろってんだよ、まったく……」

鬼龍浩一は、久保恵理子を改めて見つめて、気づいた。

地味な恰好《かっこう》のせいで気づかなかったが、彼女は、なかなかの美人だった。顔だちそのものは、たいへん整っている。目が大きくてくっきりとした二重だった。

もっと手入れをすれば、そうとうなものになるのにな……。

鬼龍浩一は、余計なことを考えていた。

「鬼道衆の鬼道は、卑弥呼の鬼道と関係があるのですか？」

「まったく関係がないわけではない」

「どういう関係があるのですか？」

鬼龍浩一は、本当にベッドにもぐり込みたかった。若い女と狭い部屋でふたりきりだというのに、情けない話だが、彼は、ひとりでベッドに行って眠りたかった。

「古代の民族史が専門なら、余計な説明は必要ないな……。いいか。卑弥呼は、倭人《わじん》の女王だ。倭人というのは、民族的にいうとどういう人々だ？」

「弥生人《やよいじん》ですね……」

「そう。弥生人というのは、何だか知っているな？」

「縄文《じょうもん》時代の先住日本人を、大陸から渡ってきた農耕民が征服し、その一部と混血してできた民族というのが、定説になっています」

「そう。先住の縄文人は、アニミズムやシャーマニズムといった祭礼を持っていた。そこに、大陸から渡ってきた人々が、陰陽の理論を持ち込んだ。邪馬台国《やまたいこく》の宗教は、すでにそういう複合的な性格を持っていたはずだ。卑弥呼は、日の巫女《みこ》、つまり太陽信仰の巫女であると同時に、燃える火の巫女でもあった。もっといえば、太陽信仰は、海人《あま》の信仰であり、火の信仰は、山人の信仰だ。卑弥呼は、その両方の性格を併せ持っていた。その両方を統合できたのは、卑弥呼のシャーマンとしての才能だったのだろう。そして、わが、鬼道衆は、火の信仰と陰陽の理を教義の中心としている」

「山人の文化、火の信仰、そして、陰陽道……。それは、一般の鬼伝説とも関係がありますね……」

「そうかい。俺が知っているのはそれだけだ。さあ、話は終わりだ」

「邪馬台国と対立していた狗奴国《くなこく》、つまり、熊襲《くまそ》や蝦夷《えぞ》、それに土蜘蛛《つちぐも》といったまつろわぬ民は、山の信仰を持っていたのですね。つまり、火を崇《あが》める人々だったということですね」

「そうだろうな……。熊襲や蝦夷については、詳しくは知らんよ」

「トミノナガスネ彦はどうなのです？」

「何が……？」

「太陽の民か火の民か……。あるいは、彼らは、陰陽の思想を持っていたか……」

「知らない」

「でも、ナガスネ彦が勢力を張っていたのは、あなたの故郷のすぐそばの巻向山《まきむくやま》のあたりだといわれているのでしょう。鬼道衆は、ナガスネ彦と関係があるんじゃないですか？」

「どうしてそう思うんだ？」

「まず、地域的な問題。そして、柳田国男によれば、鬼というのは、天つ神に逆らい、国つ神にもなれなかった勢力のことでしょう。ナガスネ彦は、神武東征の際に、徹底的に抗争する勢力です。鬼の条件にぴったりです。そして、東北の安倍《あべ》氏……」

「安倍氏がなんだというんだ？」

「安倍氏は、ナガスネ彦の子孫だという伝承を残しているのです。ナガスネ彦には、アビ彦という兄がいたのですが、このアビ彦のアビが、安倍氏の名の由来だという説もあります。梅原猛は、安倍の名は、アイヌ語で火を意味するアベやアピに由来するのではないかと言っています。安倍氏の本拠地だったという伝承がある花巻《はなまき》温泉の近くの和賀町《わがちょう》というところには、鬼剣舞《おにけんばい》という行事が伝わっているのです。お盆の行事なのですけど、鬼に扮《ふん》した人々が、刀や弓などを持って踊るのですが、この剣舞では、鬼は、退治される存在ではなく主人公なのです」

「それで……？」

鬼龍浩一は、関心なさそうに尋ねた。

彼は、今にも崩れていきそうな姿勢をしている。

「ナガスネ彦と鬼は確かに関係があるのです。だから、あなたがた鬼道衆の家に何か伝承が残っていないかと思って……」

「俺は知らない」

久保恵理子は、急に落胆したような表情を見せた。

「そうですか……」

「悪いな、あまり、協力できなくて……。さ、俺を眠らせてくれ」

久保恵理子は、立ち上がるしかなかった。

戸口まで見送りに出た鬼龍浩一を振り返り、久保恵理子は言った。

「また来てもいいですか？」

「役にはたたんことがわかっただろう……」

「いえ……。卑弥呼の鬼道の話、とても参考になりました。ぜひ、また、詳しく聞かせてください」

近くで見ると、久保恵理子が美人であることがさらにはっきりとわかった。その目は、知的でよく光った。

鬼龍浩一は、その目を見ると、きっぱりと断り切れなくなった。

「まあ……。留守がちだがな……」

「お電話させていただきます」

「熱心だな……」

「あたし、鬼が好きなんです」

彼女は、初めて笑った。

その笑顔が、思いのほか美しく見えた。鬼龍浩一は、一瞬、どぎまぎしてしまった。

久保恵理子は、階段を降りていった。

その足音を聞きながら、ちょっとそっけなくしすぎたかなと、鬼龍浩一は、後悔していた。

いやな気分だった。自己嫌悪を感じる。

彼は、スーツを脱ぐと、その辺に放り出してベッドに潜り込んだ。

すぐに眠れると思ったが、なかなか寝つけない。頭のなかにいろいろなことが浮かんでは消えていく。

彼は、つぶやいた。

「安倍氏の名前の由来が、アイヌ語の火だって……。そいつは知らなかった」

アイヌは、日本の先住民族のひとつで、かつては、日本全土に広く住んでいた。縄文人と言われるのは、アイヌ民族と同じ民族だろうといわれている。つまり、アイヌ民族は、日本人の祖のひとつということになる。

アイヌの文化が色濃く残る東北で、アイヌ語が語源となった名前が残されていても不思議ではない。

「くそっ」

ついに、鬼龍浩一は、起き上がって故郷の実家に電話をした。

電話に出たのは父親の春彦《はるひこ》だった。

「親父か……」

「どうした。また、亡者祓《もうじゃばら》いを失敗したか」

「そんなんじゃない。久保とかいう女が訪ねていったろう」

「ああ、来た」

「じいさんは、俺を訪ねろとその女に言ったそうだな?」

「そうらしいな……」

「その女が、今日、俺の部屋にやってきた」

「ほう……。何か楽しいことでもあったか？」

「ばか言わんでくれ」

「ま、そうだろうな。おまえのような根性なしが女を口説けるとは思えない」

「誇り高い鬼の末裔《まつえい》が、訪ねてきた初対面の女を口説いたりできるもんか」

「別にかまいはせんぞ」

「女は、かなり詳しく知っているぞ」

「何をだ……？」

「鬼の話だ。鬼道衆のことも知られてしまう。どうして、俺のところに寄こしたりしたんだ」

「別に知られてもかまわんよ。鬼道衆は秘密結社でも何でもない。人々が神道と呼んでいるものの一派でしかない」

「由来を語ってもいいというのか……？」

「かまわんさ。ただし、それを聞いて信じる者がどれだけいるかはわからんがな……」

「俺の商売を知られてもいいのか？」

「何を勿体《もったい》ぶっているんだ。亡者祓いは、秘密でも何でもないよ。むしろ、宣伝をして仕事を沢山やってほしいくらいだ」

「こういうことをおおっぴらにやると、差し障りがあるだろう。鬼道衆が怪しげに見られるとか、人々に恐れられるとか……」

「信教の自由は憲法で保障されているんだぞ。何を気にすることがある。それに、どこの神社だって御祓いはする。水子の地蔵もある。同じことだ」

「そうとは思えんがな……」

「おまえは、落ちこぼれだから、修行のために亡者祓いをやらされているんだ。ただ、修行に励んでいればいい」

「鬼道衆ってのは秘密とか持たないわけ？」

「誇り高き出雲《いずも》の神族が、何でこそこそ秘密を持たねばならんのだ？」

「じゃあ、あの女に知ってることすべて教えてもいいんだな？」

「じいさんが、いいと判断したんだ」

「俺が亡者祓いをやっていることを話してもいいんだな」

「それは、おまえ次第だよ。変な目で見られるのは、おまえ自身だからな」

電話は切れた。

確かに、彼女に変な目で見られるのは問題だ、と鬼龍浩一は思った。

# 4

鬼龍浩一は、ようやく眠りにつき、目を覚ましたときは、すでに夜が明けようとしていた。

彼は窓を開けた。六畳間の窓は南東を向いている。二階の彼の部屋からだと、日の出の瞬間は見えない。ビルに隠れてしまうのだ。だが、ビルの上に顔を出す太陽を見ることができた。

仕事の次の日が晴れているのは、彼にとって好都合だった。陽の気をたっぷりと吸収できるからだ。

一般に、午前の大気は陽で、午後の大気は陰だといわれている。陽の気がもっとも充実するのが夜明けなのだ。

鬼龍浩一は、眠たいのをこらえて、窓の前に立ち、小周天法を始めた。体内の気を任脈と督脈に巡らす。

最初はうまくいかなかった。体内が虚になっているのだ。気が不足している。

だが、そのうちに、かすかに、小周天の兆しが感じられるようになった。

ビルとビルの間に太陽が顔を出す。

その太陽に向かって、鬼龍浩一は左手をかざした。

直接、太陽を見ると目が眩《くら》んでしまって気の吸収にも支障をきたす。一瞬太陽を見てすぐに目を閉じ、太陽の残像を見つめるようにする。

意識を左手のてのひらにある労宮《ろうきゅう》のつぼに集中する。てのひらのちょうど中央のあたりだ。労宮から息を吸い、その気を下腹の臍下《せいか》丹田《たんでん》のあたりに一度溜める。それを吐きながら任脈と督脈にそって回すように意識する。

本当にてのひらで呼吸できるわけではないが、そうイメージすることによって気を吸収し、溜めることができる。

鬼龍浩一は、太陽が昇り、眩《まぶ》しさが増して見ることが困難になると、手をかざすのをやめた。

最も陽の気が充実しているのは、夜明けの地平から昇る太陽なのだ。

あまり高く昇ってしまっては意味がない。

昨夜の消耗が嘘のように元気になっていた。この陽の気を吸収し蓄えると、男は元気がみなぎって副産物が得られる。

て、勃起《ぼっき》してしまうことがあるのだ。気を不用意に吸収しすぎると、体内が充実しすぎて、熱を出す。

まるで、朝鮮人参《にんじん》を食べすぎたときのようだと漢方の医者は言う。かっかと体がほてり、気だるくなり、微熱があり、なおかつ勃起してしまうのだ。

今の鬼龍浩一にとっては、使いどころのない副産物だった。

(昨夜がこういう状態だと、どうなっていたかわからんな……)

彼は、休日をどう過ごそうか考えていた。昨日、一仕事終えて、今日は予定がなかった。世の中の人は、仕事をしているが、鬼龍浩一に曜日は関係ない。

コンビニエンス・ストアへ行って、賃貸マンションの空き部屋情報誌を何種類か買ってこよう。

彼は思った。

彼の密《ひそ》かな楽しみだった。いつかは、安アパートを脱出して、港を見下ろす高級マンションに住みたいというささやかな夢のためだ。太陽蓄気法も、こんなビルの間に見える太陽でやるのではなく、広いベランダに出て、海から昇る太陽でやるのだ。

自分でもずいぶんと控えめな夢だと思っていたが、亡者祓いがそれほど儲《もう》かるわけではないのだ。

彼は、修行のために亡者祓いをやらされているので、多額の金を貰《もら》えないのは当然だった。料金は、直接鬼道衆の口座に振り込まれる。

そのなかの一部を浩一がもらい受けるのだが、いったい、何割をもらえているのかは知らなかった。

コーヒーをいれて、朝ののんびりした時間を楽しんでいると、電話が鳴った。

電話は、父の春彦からだった。

「昨日、大切なことを訊《き》き忘れた」

「なんだ？」

「テレビ局の仕事は、どうなっている？」

「片づいたよ」

「うまくやったのだろうな」

「心配ない」

「では、次の仕事だ。さっそくかかってくれ」

「待ってよ。テレビ局の仕事が片づいたのは昨夜《ゆうべ》だぜ。休みをもらう権利くらいあるはずだ」

「あほぬかせ。修行に休みなどあるものか……。亡者祓いの依頼など、そうそうあるものじゃない。仕事があるときにこなしておくもんだ」

「テレビ局のときは、スポンサーのお偉いさんが依頼人だったたな……」

「そうだ。鬼道衆の氏子は、金持ちや地位のある人間が多い」

「悪質な宗教団体みたいに聞こえるよ」

「自然とそうなったのさ。氏子を選んでいるわけじゃない。あのスポンサーは、番組の悪い噂をディレクターのひとりから聞いた。どうも、スタッフの雰囲気が妙だという内部告発だ。プロデューサーが亡者の虜《とりこ》にされかかっていたのだから、雰囲気が妙なのも当然だな……」

「被害者はもうひとりいたよ。カメラマンだ」

「ちゃんと助けたのだろうな……」

「もちろんだ」

「今度の仕事は、ある食品会社の会長職にある人物からの依頼だ。その人物は、すでに、経営の第一線からは退いている」

「出掛けるしかないか……」

「あたりまえだ」

「話を聞かせてくれ」

日本橋《にほんばし》にある有名な食品会社だった。

異変が起きはじめたのは、三箇月ほど前からだという。

まず、役員が自殺未遂をした。それが発端だった。そのあと、部長のひとりが、深夜に交通事故を起こして死んだ。

五十歳を過ぎた男が、自分の車で暴走族のように首都高を走り回ったあげく、カーブでフェンスに激突して死んだのだ。

同じ部長職にある男が、今度は、自殺した。自宅のマンションから飛び降りたのだ。また、最初に自殺未遂をした役員とは別の役員が、不祥事を起こした。役員室で秘書に淫《みだ》らな行為を迫ったというのだ。セクハラだった。

課長は、部下の女子社員と不倫をして、ふたりで姿を消してしまった。その課長の妻は半狂乱で会社に乗り込んできたが、どうすることもできなかった。

そのほか、妊娠をしてしまう女子社員があいついだり、社内の風紀は乱れに乱れていた。

「不況のせいなんじゃないの？」

鬼龍浩一は、言った。「経営不振の責任を感じて、まず、役員が自殺未遂をしたんだ。その派閥にいた部長が、自暴自棄になって車をぶっとばし、事故った。あとは、その連鎖反応さ。社内の風紀だって乱れるだろう。どんなに仕事したって給料は上がらない。上司はおかしくなる。社員のフラストレーションがたまっているんだよ」

「おまえに依頼しているのは、亡者祓いであって、三流探偵みたいな推理じゃない。たいして頭がよくないのだから余計なことは考えなくていい」

「悪かったね……」

「経営不振で、雰囲気が淀《よど》んでいるとしたら、陰の気が集まりやすい。最も人間が亡者になりやすい環境じゃないか」

「まあ、そうだな……」

「待ってくれ、神主どのが話したいそうだ」

「じいさんが……？」

鬼道衆では、一族の長を神主と呼んでいる。昔からそうなのかどうかは、鬼龍浩一も知らない。

彼の祖父は、神主で、父は、禰宜《ねぎ》だ。一般の神社と同じ呼び方だった。

「浩一か？」

やけに元気のいい声が受話器から響いてきた。

「じいさん。変な女を俺に押しつけたろう？」

「鬼道衆のことを理解しようという里人は貴重だよ。ちゃんとお相手をして差し上げるんだな」

「じいさんがいうと、いやらしい意味に聞こえるぞ」

「いやらしい……？　まぐわいのことを言っているのか？　まぐわいがいやらしいと感じているようでは、修行はまだまだだな。男女の交わりは、陰陽の基本だ」

「あの女、鬼のことにやけに詳しかった。鬼が好きだと言いやがった」

「里の女にしては見どころがある。鬼道衆の嫁にしてもいい」

「一度会っただけだろう？　わかるのか、そんなことが」

「陰陽の理《ことわり》に通じておれば、どんなことでもたちどころにわかる」

「怪しげな易者みたいだな」

「おまえが未熟なだけだ。生まれながら鬼神の力を宿しておるというのに……。おまえの力は、役行者や安倍晴明にも匹敵するかもしれんのだぞ」

「俺はまっとうに生きて、平和な家庭を築きたいな……」

「そんな必要がない人間にかぎって、そういうことを言いたがる」

「必要がない……？」

「人は、陰陽の均衡をとるために、男と女が所帯を持つ。その陰陽の均衡を保つために家庭を作る。人間というのは不安定だから巣が必要なのだ。だが、おまえのような力があれば、ひとりで陰陽の均衡を保つことができる」

「鬼龍の家系はどうするんだ。俺がひとりで生きていたら子供はできない」

「結婚などしなくても、子供はできる。種を残せばいいのだ。子供は、鬼道衆が面倒を見る」

「人間の言うこととは思えないぞ」

「鬼だからな」

「鬼道衆のことを、あの女に教えて、本当にいいのだな」

「われらの歴史を広く知ってもらうのは悪いことではない。皇国史観がはびこっておった時代には、秘密にせざるを得なかったがな……」

「わかった」

「今度の仕事は、わしの古くからの知り合いの依頼だ。話を聞いただけだが、並の亡者ではない。野放しにすることはできない。心してかかれ」

「会社で起こっていることが、一人の亡者の仕業だとすると、確かに強力なやつだな……」

「いつものように、会社にもぐり込めるよう、手筈《てはず》を取ってもらった。さっそく、会社の人事課へ行け」

「俺がやられたら、どうする？」

「別な跡継ぎを見つけて修行させる。心置きなく戦え」

鬼龍武賢彦は電話を切った。

「何が心置きなくだ……」

鬼龍は、つぶやいて受話器を置いた。

株式会社『小梅屋』は、日本橋に大きな自社ビルをもつ総合食品加工の会社だった。江戸末期から続く老舗《しにせ》で、もともとは、東京湾で採れる海苔《のり》の加工業者だったという。海苔とお茶で名を馳《は》せ、明治・大正期に幾種類かの食品加工に乗り出した。大戦のたびに事業を縮小したり拡大したりしたが、軍部の兵站《へいたん》に協力することで、なんとか生き延び、戦後は、輸入食品の加工で急成長した。

日本橋の自社ビルは、近代的なコンピュータ・システムを備えており、全国にある支店からの受注や、それに対する発送を即座に管理できる。

また、工場は、韓国や東南アジアがメインとなっており、現地の材料をすぐさま加工する体制を整えていた。

「へえ……。名前からは想像できない立派なビルだ」

鬼龍は、玄関に立ち止まって、そうつぶやいていた。

彼は、いつもの紺色の背広を着ていた。白いワイシャツに目立たないグリーンを基調としたレジメンタル・タイ。靴は、黒のプレーン・トゥだった。

玄関を入ると受付があった。若い受付嬢がふたり座っている。

受付嬢をふたりも置いているということは、業績は、それほど悪いわけではないのかもしれないと鬼龍浩一は思った。

真っ先にリストラされるのは、こうした企業の見栄の部分なのだ。

現在、ほとんどの会社は、電話はダイヤルインになっており、交換手もいらなくなった。

かつて、受付は、会社の顔などといわれ、それなりに気をつかって教育したりもしたが、不況になって以来、そうしたことはあまり言われなくなった。

「人事課に用があるのですが……」

鬼龍浩一は言った。

「お約束ですか？」

若いほうの受付嬢が尋ねた。美人だ。受付に若い美人を置くというのは、前近代的な感覚だといわれるのが、最近の風潮だ。こうした経営方針がセクハラだと言われかねないのだが、古今東西を通じて、受付には、美人のほほえみが大切だと考えられてきたのだ。

「えーと……。そうだと思います」

「人事の誰をお呼びしましょうか？」

「人事課長さんを……」

「失礼ですが、お名前は……？」

「鬼龍浩一といいます」

受付嬢は館内電話をかけた。

その間に、そっと鬼龍浩一は、玄関の雰囲気を探ってみた。

ふと、陰の気を感じて、鬼龍浩一は何気なくそちらを向いた。

年上のほうの受付嬢が、鬼龍浩一を見ていた。意味ありげな流し目に見えた。その目は、しっとりと濡《ぬ》れている。

ぞくっとするくらいに色気があった。

鬼龍浩一は、かすかにほほえんで、すぐに視線をそらした。

その受付嬢は、ぬけるような白い肌をしている。年齢は、二十代の後半のようだ。顎《あご》の線が丸いくらいふっくらとしているが、醜く太ったという印象を受けない。しっとりと脂が乗ったタイプだ。

(ははあ……)

鬼龍浩一は思った。(この受付嬢も幾分か亡者の影響を受けているな……)

陰の気の影響を受けやすいタイプというのは、確かにある。

女の場合、この受付嬢のように色白でグラマーなタイプが多い。こういう女が陰の気を操るようになると、男たちはひとたまりもない。たちまち、男が群がってくる。

男は、女の発する陰の気には、とうてい太刀打ちできないのだ。

鬼龍浩一は、だからこそ、ナイト・クラブというものがなくならないのだと思う。一度飲みに行くだけで何万円も払わねばならないクラブは、金の無駄でしかないと女たちは思うだろう。

だが、そこに満ちている陰の気が、男を惹《ひ》きつけて止まないのだ。だから、水商売は、不況だ不況だといっても決してなくなることはないのだ。

特に、陽の気をもてあましている男は、そういう場所に行かないと収まりがつかない。クラブで酒を飲むより、ソープランドのほうが手っとり早いという人もいるが、それは、気のバランスのことを知らない人だ。

男は、陽の気を発散でき、陰の気を取り込めるような場所を、知らず知らず求めてしまうのだ。陽の気が満ちすぎると、闘争本能が疼《うず》き、いらいらしてしまう。

ホステスは、そういう客の相手をしているから、どうしても、陽の気をもらってしまう。そうなると、女なのに、陽の気を発散させたくなる。

サパーやホスト・クラブにホステスが行きたがるのは、あながち金の問題だけではないのだ。

水商売とはうまい言い方をしたものだと鬼龍浩一は思う。水は陰の気を発する。水商売というのは、文字通り陰の気で商売をするものなのだ。

サパーやホスト・クラブといった男が女の相手をする店も陰の気に満ちている。ホステスたちは、そこで、客から吸い取った陽の気を発散し、陰の気を貰《もら》うのだ。

ホスト・クラブで働く男は、もちろん基本的に陽の気質を持っているが、陰の要素が強い場合が多い。

陽のなかにも陰陽があり、陰のなかにも陰陽があるというのが、気を学ぶ者の基本だ。

「鬼龍さま……」

若いほうの受付嬢が声を掛けた。「申し訳ありません。人事課長は、お約束はしていないと申しておりますが……」

「そんなはずはありません。書類が回っているはずです。今日から出向でこちらに来ることになっているのです」

受付嬢は、その旨を人事課長に伝えた。しばらくすると、受付嬢は言った。

「直接、人事課のほうへおいでくださいとのことです」

「人事課は、どこですか？」

「六階です」

「ありがとう」

鬼龍浩一はエレベーターに向かった。

受付嬢は、丁寧に人事課長の言葉を伝えたが、実は、人事課長の台詞《せりふ》は、こうだった。

「出向社員がなんでいちいち受付から連絡をよこすんだ？　ぐずぐずしてないで、さっさと顔を出せと言え！」

人事課は、総務部のなかにあり、六人の課員がいた。そのうち、二名が女性だ。

人事課長は、デスクの島の一番窓側にいた。すべてのデスクの上にコンピュータの端末があり、その他に、ワープロのデスクがあった。

人事課長は、書類を睨《にら》みつけていた。

鬼龍浩一が彼を訪ねると、ひどいやっかい事をかかえでもしたように顔をしかめた。

人事課長の名前は、佐々木《ささき》といった。

彼は、鬼龍浩一を見て、それから書類をもう一度見た。

「これはどういうことなのか、説明してもらおうか」

5

人事課長の佐々木は、鬼龍浩一を憎んでいるようにすら見えた。

その理由は、鬼龍浩一にも想像はついた。不況のせいで、企業は、無駄をどんどん省いていかなければならない。

人減らしは、そのリストラの一環となっているはずだ。人事課では、連日頭を悩ましているに違いない。

人を減らそうとしている矢先に、関連会社から出向社員がやってきたのだ。しかも、佐々木は、事前に何の話も聞いていないはずだ。これがおもしろくないはずはない。

鬼龍浩一はおずおずと言った。

「あの……。書類が来ているはずですが……」

こういう場合、相手に逆らわないのが何よりだということを鬼龍浩一は知っていた。

彼は、亡者祓《ばら》いの依頼を受けると、多くの場合その企業なり、組織なりに一時的に所属することにしている。

調査に一定期間が必要だからだ。その企業なり組織なりに所属していると、比較的自由に動き回れるのだ。

出向社員や、研修という形で企業にやってくることが多い。

父親の鬼龍春彦が言ったように、鬼道衆の氏子は、会社の経営者や財界の大物といった連中が多い。

どうやら、日本の経営者のなかには、意外と縁起をかついだりする人が多いようだ。

かつて、陰陽師は、深く宮中の中枢にまで入り込んで、影響力を行使していた。

どこかに、その名残があるのかもしれないと鬼龍浩一は思っていた。

経営者から依頼があるのだから、鬼龍浩一が会社にもぐり込む段取りを組むくらいは簡単だ。

そういう段取りは、依頼主と鬼道衆の本家のほうでやってくれる。

鬼龍浩一はそういうわけで、新参者の心得ができているのだ。

佐々木課長は、手にした書類を見た。

「確かにこれは、正式な書類だ。部長の判もある。だが、私は何も聞いていなかった」

「急な話だったようです」

「しかし、いくら急だからといって、人事課長の私が知らないところで人事が動くのはおかしいんじゃないか……」

(俺にそんなこといわれても、知ったこっちゃねえ)

鬼龍浩一は、心のなかでそうつぶやいておいてから言った。

「確かにそうですね。出直しましょうか?」

佐々木課長は、鬼龍浩一をいたぶることに快感を覚えているようだった。

「出直してどうする。俺に文句を言われたから、すごすご引き上げるのか? そんなことで、『小梅屋』の社員がつとまるのか? ええ?」

佐々木課長は、手許《てもと》の書類を見た。「リトル・プラムからの研修だって? いまさら研修に来てどうなるというんだ。リトル・プラムみたいなお荷物こそリストラすべきだ。そうは思わんか?」

リトル・プラムというのは、『小梅屋』が出資している外食産業だった。ファミリー・レストランのチェーンだが、この不況のせいで、業績は振るわなかった。

(おまえをまずリストラすべきだと思うよ)

鬼龍浩一は、そう思ったが、決して態度には出さなかった。

「リトル・プラムも独自に経営努力をしておりまして、私が『小梅屋』の本部に出向になりましたのも、そうした経営努力の一環だと思います」

「いいだろう。配属が決まるまで、総務預かりとする。このところ、人員整理のせいで、机が余ってる。あいている机を使わせてもらえ。内田《うちだ》くん、案内してやれ」

「はい」

内田と呼ばれた若い男が立ち上がった。

鬼龍浩一と同じくらいの年齢だった。三十歳になるかならないかだ。

鬼龍浩一は、彼に頭を下げた。

「よろしく、お願いします」

佐々木課長は、鬼龍浩一に関する書類を既決の箱に放り込んだ。それきり、鬼龍浩一には関心がなくなったようだった。彼は、一度も鬼龍浩一のほうを見ようとしなかった。

「こっちです」

内田が案内した。

鬼龍浩一は、佐々木のもとを去るとき、心のなかで、彼に忠告していた。

(そんなにいらいらしてると、亡者の虜《とりこ》になっちまうぜ)

「あの課長は、いつもああいう調子なんだ。気にしないほうがいい」

衝立《ついたて》の陰に回ると、内田が言った。

「わかってます。うちの会社にも、同じような上司がいますよ」

「あんな言い方することはないんだ。出向社員の研修プログラムというのは、ちゃんとマニュアル化されているんだからな……」

内田がこういうことを言うのは、何も鬼龍浩一を気づかってのことではない。鬼龍浩一はそれに気づいていた。

内田は、佐々木課長に反感を持っているのだ。

彼は、佐々木を批判するチャンスを常に窺《うかが》っているに違いなかった。

内田は、鬼龍浩一を総務課のコーナーに連れていった。

総務課は、全部で七人いた。女性が三人いる。

その中のひとりが、内田を見て、意味ありげな態度をとった。目が合うと、人に気づかれないようにそっと微笑み、すぐに目をそらして、ワープロの画面を見た。

内田もまんざらではないような表情を見せた。

鬼龍浩一はそれを見逃さなかった。

(社内恋愛か……。けっこうなことで……)

だが、単なる社内恋愛でないことは、すぐにわかった。ふたりの間に、ねっとりとした空気が流れた。陰の気だ。

彼らは、周囲の人間に祝福されるような関係ではないようだ。刺激的な男女関係を楽しんでいるのだ。

(なるほど……。これも、亡者の影響かもしれんな……)

内田は、総務課長に近づいて、鬼龍浩一のことを説明した。

総務課長は、あたふたと、机の上の書類をかきまわした。

「ええと……。そんな連絡事項があったような気がするな……」

だが、総務課長は、それらしい書類を見つけることはできなかった。

「まあ、いい。飯島《いいじま》くん」

総務課長が呼ぶと、さきほど、内田と怪しげな目の合図を交わした女性が返事をした。

「はい……」

この会社では、女子社員は、制服を着ていた。白いブラウスに明るいブルーのベストとタイトスカートだ。

人によってスカートの丈はまちまちだが、飯島と呼ばれた女子社員のスカート丈は短かった。

「彼には君の隣の席に着いてもらうから、いろいろ教えてやってくれ」

「わかりました」

飯島は、鬼龍浩一を見た。

彼女も色白だ。短いスカートからのぞくふとももは、むっちりとしている。

けっして細くはないが、男心をくすぐる脚をしている。肩までの髪にソバージュをかけ、それをプラスティックの髪留めで束ねている。

愛らしい顔だちをしていた。

鬼龍浩一を見る目が好奇心に満ちている。その目が、年上の受付嬢と同じように潤んでいた。

（どちらかといえば、内田よりこの娘のほうが問題だな……）

鬼龍浩一は思った。

「じゃあ、僕はこれで……」

内田は、そういって立ち去ろうとした。

その場を去る瞬間、彼は、また飯島のほうを見た。飯島は、鬼龍浩一を見ていた。

一瞬、むっとしたように、内田が鬼龍浩一を見た。鬼龍浩一はそれに気づいたが、なにくわぬ顔をしていた。

（冗談じゃないぜ、まったく……）

いわれのないことで嫉妬《しっと》されるのはまっぴらだった。

鬼龍浩一が席に着くと、飯島が話しかけてきた。

「あたしは、飯島清美《きよみ》。よろしく」

「鬼龍浩一です」

「キリュウ？　あの群馬の桐生《きりゅう》市の桐生？」

「いえ、鬼《おに》に龍《たつ》と書きます」

「すごい名前ね……」

「桐生市の桐生と書いた時期もあったらしいのですが、何代かまえの先祖が、もともとの書き方に戻したらしいのです」

「何かわからないことがあったら、訊《き》いてね」

「ありがとうございます」

鬼龍浩一は、持っていたアタッシェ・ケースからファイルや筆記具を取り出し、与えられた机に収めた。

「飯島くん……」

課長が言った。「忘れるところだった。鬼龍くんの名刺をすぐに注文してやってくれ」

「はい……。所属の部署は……？」

「ええと……。こういう場合はどうするんだっけな……」

近くにいた男性社員が言った。

「総務部総務課でいいんじゃないですか？」

「そうだな……」

「わかりました」

飯島清美はうなずいた。彼女は、用箋《ようせん》を鬼龍浩一に手渡して、言った。「これに、楷書《かいしょ》でフルネームを書いてちょうだい」

鬼龍浩一は、紙に名前を大きく書いた。それを渡すついでに、彼は言った。

「まず、社内を見て歩きたいのですが……。どこに何があるのか、まったくわからないので……」

「案内してあげるわ」

飯島清美は立ち上がった。「名刺を頼むついでだから……」

他の社員は何も言わなかった。当然の職務と考えているのかもしれない。誰も関心を払っていないようだった。

課長も、机の上の書類を見つめたままだ。鬼龍浩一も席を立った。

廊下に出ると、飯島清美は言った。

「頼りない課長でしょう?」

「え……?」

「馬場《ばば》課長よ」

「ああ、あの総務課長……？」

「そう。人事、総務といったら、企業では出世コースなのにね……。どうして、あの馬場さんが課長になれたのか、不思議でたまらないわ」

飯島清美は、身長が低く、一六〇センチに満たないようだった。

だが、腰も胸も豊かでなかなか魅力的ではあった。その豊かな腰をわずかに振るような歩き方をする。

彼女は、一階から見学をスタートした。

一階は、受付とロビーがある。ロビーには、衝立で仕切った応接のコーナーがあり、簡単な打合わせはここで済ませることができた。

二階には商品管理部が入っている。工場で生産される商品や、在庫の流通を管理する部署だ。

三階と四階には、営業本部がある。

直接の営業は、多くの場合、支店が行うが、この本社にも営業マンが大勢いる。

彼らは、新規市場の開拓に駆けずり回っている。

また、ユーザーと食品メーカーの間に商社がはいるケースが多いが、その商社との取り引きを行うのは、この本社の営業なのだ。

五階には、企画や広告といった、ちょっと他の部署とは毛色の違う社員がいる。

六階が総務。七階が役員室と、社長室だ。仕事を依頼した会長の部屋も七階にあるはずだ。

もっとも、会長は、経営からすでに手を引いているということだから、会社にはあまり顔を出さないのかもしれない。ご隠居さんなのだ。

どこの階にも、うすく、煙草の煙がたなびくような感じで、陰の気が漂っていた。

だが、問題になるほどではない。

これなら、夜のクラブや、芸能関係のほうがずっと強いくらいだ。

じっさい、テレビ局などは、陰の気が強い。芸能界で成功するには、陰の気が必要なのだ。有名な芸能人は、例外なく強い陰の気を持っている。

陰は淫《いん》に通じる。

陰と陽という概念は、西洋風なプラスとマイナスの関係と理解されやすい。つまり、陰は悪いもので、陽が正しいものだと考えがちなのだ。

だが、そうではなかった。

陰と陽はどちらが正しいというものではない。どちらも、必要不可欠なものだ。そのバランスが肝要なのだ。

実際、芸術関係、芸能関係、服飾関係などの職業に就く人々には、陰の気が必要なのだ。

（おかしいな……）

鬼龍浩一は思った。（亡者などいないのかもしれない。やはり、自殺や事故などが相次いだりしたのは、単なる連鎖反応なのかもしれない……）

「派閥のお陰なのかもしれないわ……」

「え……。何ですか？」

「馬場課長よ。ここだけの話ですけどね……。馬場課長は、リストラされるかもしれなかったの」

「へえ……」

「でもね、ある役員が失脚し、対立していた役員が勢力を持ちはじめたの。馬場課長は、その新興勢力の派閥にいたというわけ……」

「いろいろと大変なんですね……」

「まあ、出向社員には、あまり関係のない話よね……」

失脚した役員というのは、自殺未遂をしたという役員のことに違いなかった。

鬼龍浩一は、新興勢力の役員というのが、ふと気になった。

「その、新しく台頭してきた役員というのは……？」

飯島清美は、わずかに声をひそめた。

「枕崎《まくらざき》専務よ」

六階までをざっと見おわったところで、鬼龍浩一は言った。

「七階は社長室と役員室だといいましたね。ちょっと、覗《のぞ》けませんか？」

「かまわないわよ。ただ、秘書室があって、その先へは行けないわ」

「ええ。エレベーターから覗くだけでもけっこうです。偉い人のいるところって、見てみたいでしょう……」

ふたりは、七階に向かった。

エレベーターのドアが開く。

照明が暗くなっていた。間接照明で、一流ホテルのロビーのような感じだった。

廊下にもカーペットが敷きつめてある。

七階全部が、別世界のようだった。

鬼龍浩一は、エレベーターを降りたとたん、むうっとするくらい濃密な陰の気を感じた。

陰というより、明らかに淫の気だった。

鬼龍浩一は、その陰の気に押し戻されるような感じさえした。それくらいに濃密なのだ。

この陰の気が、会社中に漏れだしていたのだ。

各階の全体の陰の気は、それほど濃密ではない。だが、陰の気は溜《た》まりやすい。

全体のレベルが希薄でも、どこかに凝り固まっている可能性はあった。

結界があれば、気は溜まりやすい。結界はどんな場所でもいい。狭い場所が結界になりやすい。

たとえば、トイレだ。そして、給湯室のような場所も結界になりうる。

七階にこれだけの陰の気があれば、各階にそうした結界があっても不思議はない。

(枕崎専務か……)

鬼龍浩一は、心のなかでつぶやいた。

そのとき、飯島清美の体をふと、腕に感じた。

鬼龍浩一は、彼女を見た。

目がとろんとしている。熱があるように、白い頬が上気しはじめている。

彼女は、さりげなく、自分の体を寄せてきたのだった。腕と腕が触れ合う。

彼女の腕は、熱かった。

「どう……? 偉い人のいる場所は……?」

そう尋ねる彼女の表情は、おそろしく蠱惑的《こわくてき》だった。彼女は、あたりを見回すために体の向きを変えるようなふりをして、そっと、胸のふくらみを鬼龍浩一の腕に触れさせたりした。

(おやおや……。陰の気に反応しちまったな……)

鬼龍浩一は言った。

「やっぱり、私には縁のない場所のようですね。戻りましょう」

飯島清美は、年齢に合わないくらい妖艶《ようえん》なほほえみをちらりと見せ、エレベーターのボタンを押した。

# 6

その日、鬼龍浩一は、ずっと総務課のデスクで過ごした。明日《あした》からは、本格的な業務の説明が始まり、そのあと、営業のどこかの課に仮配属となるはずだった。

総務課の連中は、定時になると、いそいそと帰り支度を始めた。

残業代カットで、残っているだけ損をするのだ。また、やたらに会社に残っている無駄を排除するために、総務は率先して定時帰宅を実践しているのだ。

飯島清美も机を片づけはじめた。

「鬼龍さんは、まだ帰らないの？」

「ええ。リトル・プラムのほうへの報告書も書かなければならないので……」

「そ。じゃ、お先に……」

彼女は、更衣室に向かった。

更衣室か……。

鬼龍浩一は思った。

更衣室のようなところも狭くて結界になりやすい。もともと、更衣室などは結界の一種だ。

男にとっては、立ち入ることが許されない場所だ。物理的にはドアを一枚隔てているだけだが、そこに入ることは、男にとっては、社会的な立場とか、名誉の問題などといった精神的な隔壁があるのだ。

女子更衣室に足を踏み入れているところを他人に見られたら、その男の信用や名誉は一気に消し飛んでしまうのだ。

そういう場所は、結界なのだ。

そして、女子更衣室には、女が集まる。陰の気が集まりやすい。同時に、もし、陰の気が凝り固まっているとすると、そこで着替えをする女子社員は、影響を受けやすいだろう。

(探ってみる必要があるな……)

馬場課長が最後まで残っていた。

彼は、仕事熱心というより、段取りが悪いように見えた。今日一日の仕事が、なかなか片づかないのだ。

鬼龍浩一は、アタッシェ・ケースを持って立ち上がった。

「課長は、まだ残られるのですか？」

馬場課長は、驚いたように顔を上げた。彼は、声を掛けられたという事実に驚いたようだった。

総務課員が帰り際に彼に声を掛けるようなことはないのかもしれない。哀れな上司だな、と鬼龍浩一は思った。

「ああ……。目を通しておかなければならない書類があってね……。ところで、君、コンピュータを使えるかね……」

「は……？」

「みんな、帰っちゃったんでね……」

「まだ、この会社のソフトの説明を受けていません」

「だと、動かせないのかね……」

「立ち上げることはできるでしょうが、調べたいことを引き出すには、時間がかかるかもしれません……」

「そうか……。明日にするか……」

「じゃあ、お先に失礼します」

「ああ……」

馬場は情けない顔をして、机の上の書類の山を眺めていた。

（この人はいい人なのだろうな……）

鬼龍浩一は思った。（だが、企業のなかでは、敗北者なのかもしれない）

馬場が課長でいられるのは、枕崎専務の派閥にいたからだという。彼の運はそこまでだろうと鬼龍浩一は思っていた。

先を読んで、枕崎の派閥に入っていたとも思えない。たまたまのことだったのだろう。でなければ、リストラされていただろう。底無しの不況で、管理職がどんどん首を切られているのだ。

（おっと、俺の仕事は、経営診断じゃなくて亡者祓《もうじゃばら》いだったな……）

鬼龍浩一は、総務部の部屋を出て、まず、その階を調べて歩くことにした。

昼間に歩いたときは、足早に全階を通りすぎただけだった。彼は、つぶさに気を探りながら進んだ。

女子更衣室は、各階にある。

鬼龍浩一は、まずそこに近づくことにした。やはり、陰の気は濃さを増しつつあるようだった。

すでに、六階は人気がなかった。女子社員は、ほとんど帰宅している。更衣室に近づく者はいなかった。

かといって、鬼龍浩一は、更衣室のなかに入るつもりはなかった。万が一、誰かに見られたら、どうなるかわからない。

会社を追い出されてしまうかもしれない。それでなくても、関連会社からの出向研修社員などお荷物なのだ。

ドアの外から探るだけで充分だった。確かに、凝り固まった陰の気が漏れだしている。ここで毎日、陰の気を浴びつづけていたら、何人かの女性は亡者となってしまうかもしれない。

(なんとか、早いうちに手を打たなければな……)

彼は、その場を立ち去ろうとした。その時、更衣室よりはるかに、濃密な陰の気を感じた。

(何だ……?)

更衣室の向こう隣の部屋だった。

そこは、受付嬢の控室だった。受付嬢は、総務課の所属なのだが、総務課員と同じデスクではなく、控室が与えられている。

生々しい陰の気が感じられる。

(亡者か……?)

鬼龍浩一は、そっと受付嬢の控室に近づいた。

押し殺したような男女の声が聞こえてくる。鬼龍浩一は、周天法《しゅうてんほう》を始めた。

上中下の三つの丹田を活性化させる。陽の気を全身に行き渡らせた。

すでに、てのひらの労宮のつぼからは、陽の気が漏れ出ている。

大きく深呼吸してから、そっと控室のドアを開けた。

とたんに、隙間から、むうっと陰の気が流れ出してきた。その陰の気が、鬼龍浩一の陽の気とぶつかって、弾《はじ》けていく。

常人にはわからないが、気を操る鬼龍浩一には、それが肌で感じられた。

鬼龍浩一は、隙間からそっとなかの様子を見た。

部屋は狭かった。デスクはなく、その代わりに、テーブルが部屋の中央に置かれている。

小さなテレビがあり、部屋の一番奥には、ソファがあった。

そのソファで、男女が激しく交わっていた。

女は、昼間会った受付嬢だった。年上のほうだ。まだ、受付の制服を着ていた。

女は、ソファの上に男を組み敷いてまたがっている。タイトスカートは、脱ぎ捨ててあった。

真っ白で丸いゆたかな尻《しり》がくねくねと煽情《せんじよう》的な動きを繰り返している。女の髪は乱れていた。

乱れているというより、逆立っている感じだった。わずかに髪の色を抜いているが、その栗色の髪が逆立ち、燃え上がる炎のように見えた。

腰の動きに合わせて、上半身がうねる。そして、さかんに首をのけ反らせたり振ったりしている。

口を大きくあけて、叫んでいるように見えるが、声を殺している。喘《あえ》いでいるようにも見えた。

組み敷かれている男を見て、鬼龍浩一は、小さくかぶりを振った。

（そら見ろ。いわんこっちゃない……）

下になっている男は、人事課長の佐々木だった。

彼は、金魚が酸素を求めるように口をぱくぱくとさせている。時に、歯を食いしばり、首に筋を浮かべたりしている。

彼の両手は、制服のブラウスの下から受付嬢の胸に差し込まれている。

その手が、激しく動いているのが、制服の上からでもわかる。

佐々木は、快楽を持て余しているようだった。それほどいいのだ。

受付嬢は、見るだけでも充分にいい女だった。それが、陰の気の影響でたまらないくらいの官能美をたたえていた。

白い全身から燐光《りんこう》を放っているように見えた。

佐々木は、苦悶《くもん》しているようにさえ見えた。快感が、彼のキャパシティーを超えようとしているのだ。

全身に快感が満ち溢《あふ》れ、彼の脳髄は、すでにバターのようにとろけてしまっていた。

佐々木は、のけ反り、唸《うな》り、喘ぎ、足を突っ張った。

(そんなにいい思いをすると、後には戻れなくなるぜ……)

男が性の快感に溺《おぼ》れることなどない。男は、高まり、頂点を迎えると、すぐに醒《さ》めてしまう。その一瞬を味わいたくて、男は、女と交わるだけだ。

男の性は実に淡白だ。だから、性の営みの最中に我を忘れる男は滅多にいない。

大きなエクスタシーのあと、半ば気を失ったようになったり、或《ある》いは本当に気を失ってしまう女性はたまにいるが、男で、気を失うのは皆無だ。

だが、亡者や、亡者になりかかっている女と交わると、しばしば信じられないくらいの快感を得ることができるのだ。

陰の気は、またとない催淫剤《さいいんざい》とも言える。それは、激しい気の交換が行われるからだ。性器だけに限ると、男の快感というのはごく限られているのだ。

鬼龍浩一は、全身に陽の気を満たして、ふたりに近づいた。

佐々木は、完全に我を忘れており、鬼龍浩一には気づかなかった。彼は、経験したことのない快感の波に翻弄《ほんろう》されて、それどころではないのだ。

苦痛に対する耐性も、快楽に対する耐性も、女のほうが男よりずっと勝っている。

男は、痛みにも弱いが、快感にも弱いのだ。

一定レベルを超えると、自動的に意識のシャッターが降りる。これは、苦痛の場合も快感の場合も同じだ。

佐々木は、その瞬間を迎えようとしていた。

女は、鬼龍浩一に気づいた。その目がらんらんと光っている。

妖気《ようき》をはらんでいるようにも見える。だが、おそろしいとか不気味という感じはない。ただただ、淫《みだ》らなのだ。燐光を発するほどに白い豊かな肢体。

乱れた髪をかきあげるときの、白い喉《のど》のあたりのライン。

女は、腰を上げた。

佐々木のそそり立ったものが音を立てて抜ける。

解放された佐々木は、その瞬間、ぐったりとなった。気を失ったようだ。

女は、膝《ひざ》で立ち、両手を鬼龍浩一のほうに向けた。

彼女は、陽の気に反応しているのだ。陰の気は陽の気を求める。

総務課の飯島清美が、必要以上に自分に興味を示したのもそのせいだということを、鬼龍浩一は知っている。

「欲しいなら、たっぷりくれてやるよ。陽の気をな……」

鬼龍浩一は、言った。

女は、服が乱れたままだった。ブラウスの前がはだけて、豊かな白い胸のふくらみがはみ出している。

片方の肩が覗《のぞ》いているが、その肩が丸みを帯びていて肉感的だ。

だが、二の腕は、意外にほっそりとしている。

彼女は、両手を差し出したまま、鬼龍浩一に迫った。鬼龍浩一は動かない。

「さあ……。楽しみましょう……」

女が体を擦りつけてくる。柔らかく、なおかつ張りのある感触。皮膚は、滑らかでしっとりとしている。

すばらしい感触だ。しかも、部屋は結界となって陰の気が満ちている。

「あたしが天国に連れていってあげるわ……」

女は、鬼龍浩一のズボンをまさぐり、あっという間にさげてしまった。トランクス型のパンツもいっしょだった。

充分に心得た触り方で、鬼龍浩一の下腹部を撫《な》ではじめる。ねっとりとあやうい触り方だった。

女は、鬼龍浩一にしがみつき、背伸びをした。そして、立ったまま、鬼龍浩一を自分のなかに収めようとした。

何度か体を擦り寄せるうちに、鬼龍浩一は、彼女に飲み込まれるのを感じた。ぬるぬると埋まっていく。熱くたぎり、味わうように内面が動く。

鬼龍浩一は、放った。

精ではなく、陽の気だった。

信じられない光景だった。女の体が弾け飛んだ。

鬼龍浩一は彼女を突き飛ばしたわけではない。だが、彼女は、大きくはね飛ばされ、まずテーブルに腰をぶつけた。その反動でうつ伏せに倒れた。

その瞬間、室内も、光に包まれていた。目に見えない光だ。

この結界のなかにいて、亡者の影響を受けている者だけが見える光だった。

どろどろとした陰の気はすっかり薄まっていた。

女は、ぴくりとも動かない。佐々木も気を失ったままだ。

鬼龍浩一は、ズボンを上げてベルトを締めるとつぶやいた。

「くそっ……。中途半端なことしてくれて……」

彼は、女に近づいた。

いつものことだが、後片付けが面倒だった。

鬼龍浩一は、女のパンティーを探して何とかはかせた。タイトスカートをはかせようとして断念しそうになった。

女の協力なしでは、服を着せるなど至難の業だ。どうして、自分では着られるのだろうと不思議に思うくらいあちらこちらにひっかかるのだ。

ぴったりとしたタイトスカートというのは、見た目にはすごく魅力的だが、脱がせたり着せたりするのには手間がかかる。スリットのところから裂けてしまう心配もあった。

だが、ここで諦《あきら》めるわけにはいかない。鬼龍浩一は、女を抱きかかえるようにして、ようやくスカートをはかせた。再び彼女を横たえて、ブラジャーやブラウスの乱れを直す。

そうしておいて、彼は彼女を廊下へ運び出した。

「馬場課長！　馬場課長、来てください」

鬼龍浩一は、大声で叫んだ。

馬場は、慌てて飛び出してきた。

「なんだ……？」

「受付の人が倒れていたんです。たぶん、貧血かなにかだと思うのですが……」

「なんだって……」

馬場は、鬼龍浩一に抱き起こされている受付嬢を見た。

色白の美人が、鬼龍浩一の腕のなかでぐったりしている。その姿は、はかなげに見えた。

「念のため、救急車を呼んでください」

「わかった……」

馬場は駆けて行った。

「なんだ……？」

残業していた社員が顔を出した。

「倒れたんです。ちょっと見ていてくれますか？」

「受付の人か……。何でこんな時間まで残っていたんだ？」

「わかりません。とにかく、頼みます」

「わかった……」

鬼龍浩一は、受付嬢の控室に戻った。

佐々木は、意識を取り戻していた。

彼は、慌ててズボンをたくし上げている最中だった。

目を丸くして鬼龍浩一に言った。

「君は、研修社員の……」

「課長、来てください、受付の人が廊下で倒れていたんです」

「何だって……。受付の人が……」

彼は、起き上がって走りだそうとした。だが、足がふらついて倒れそうになった。

腰に力が入らないらしい。

「だいじょうぶですか、課長？」

「だいじょうぶだ。だが、私は何でこんなところに……」

「え……？」

「何でもない。どこだ、受付嬢が倒れているというのは……」

「こっちです」


六分後に、救急車が来た。

救急隊員が駆けつけたときには、彼女は、まだ意識を失ったままだった。

陰と陽の気のスパークはそれほどひどい衝撃を与えるのだ。持っている陰の気が強ければ強いほどその衝撃は大きい。

帯電している電荷が多いほどスパークが大きいのと似ている。

受付嬢は、まだ亡者にはなっていなかったが、彼女が持っていた陰の気は、亡者になってもおかしくないくらいに強かったのだ。

亡者になると、結界の中を自分の妄想の世界に作り替えたりする。その妄想の世界に虜《とりこ》にした人間を引き込んでしまうのだ。

彼女はまだそこまでは行っていなかった。ひたすら、快楽と陽の気を貪《むさぼ》っていただけだった。

佐々木課長は、その被害者となったのだ。

陰の気が失《う》せた瞬間の衝撃で、たいていの人間は気を失う。意識が戻ったときには、陰の気の影響でやったことは、忘れているのが普通だった。

覚えていたとしても、本人は、それを淫夢《いんむ》だと思ってしまう。夢から醒《さ》めたような気分になるのだ。

受付嬢も、病院で目を覚ましたら、何が何だかわからないはずだった。佐々木とのことも、鬼龍浩一のことも忘れているのだ。

今の佐々木もそうだった。

「君、私があの部屋にいるとどうして知っていたのだ?」

佐々木にそう訊《き》かれて鬼龍浩一は答えた。

「はあ……?　知りませんでしたよ。受付嬢が倒れたんで、彼女の荷物か何かがあるだろうと、控室を覗いたんです」

「そうか、それなら、いいんだ」

佐々木課長は仏頂面をしていた。

彼がソファで意識を取り戻したとき、下半身が丸出しだったはずだ。しかし、何をやっていたかまったく覚えていない。不安になってあたりまえだった。

（少しは、悩むがいいさ）

鬼龍浩一は、佐々木を見て、心の中でそう言ってやった。

# 7

気を放ったあとの虚脱感が襲ってきていた。

他の階を調べようと思っていたのだが、鬼龍浩一には、その体力が残っていないようだった。

もし、他の階で、先程のような場面にであったら、鬼龍浩一も陰の気に取り込まれてしまうおそれがあった。

体力も気力も底をついているのだ。気力というのは、精神力という意味もあるが、鬼龍の場合は文字通り気の力という意味合いもある。

救急車が出ていくと、鬼龍は、会社を後にした。

自宅にたどり着くと、服を放り出して、ネクタイをむしり取り、ベッドに倒れた。

夕食を摂《と》る気にもなれない。

うつ伏せに倒れたままじっとしていると、ほどなく彼は眠りに落ちていた。

電話のベルで目を覚ました。

鬼龍は、ベッドから体を引き剝《は》がすように起き上がると、電話に出た。

「はい……」

「鬼龍さんですか？　久保ですが……」

「久保……？」

「久保恵理子です」

「ああ……」

「あの……、これからお邪魔してもいいでしょうか……」

昨夜、彼女を追い出したあと、軽い自己嫌悪を感じた。彼女に冷たくしすぎたかもしれないと反省したのだが、こうして、体力を消耗しているときに、会いたいと言われると、どうしても親切にすることができない。

「またにしてくれないか……。疲れてるんだ」

「時間はそれほど必要ないんですが……。ご迷惑なのは、承知の上でお願いしてるんです」

彼女がなかなか強情であることは、最初に会ったときからわかっていた。

鬼龍は、折れることにした。

「わかった。その代わり、ひとつ頼みを聞いてくれないか？」

「食事がまだなんだ。何か買ってきてくれるとありがたいんだが……。コンビニの弁当でもいい。金は、後で払う」

「わかりました」

鬼龍は、時計を見た。

夜の九時だった。部屋に帰ってきたのが八時半だったので、三十分ほど眠ったことになる。

幾分か疲労感は減っているような気がした。

女と会うのは、気力の回復のためには、悪くはない。それは、鬼龍も知っていた。

男と女は、いっしょにいるだけで、気の巡りが良くなるのだ。だが、不快に思っている相手がいっしょだと、気の巡りは逆に悪くなることもある。

二十分ほどで、彼女は現れた。近くから電話をかけてきたのだろう。彼女は、コンビニエンス・ストアのレジ袋を提げていた。

「何でしょう?」

「話は、食事をしながらでいいだろう?」

「はい。適当になにか作ります」

「作るって……。弁当を買ってきたんじゃないのか……?」

「ライスを買ってきました。お疲れだということですから、雑炊でも作ろうかと思いましてね……」

「雑炊……。好きにしてくれ」

「土鍋《どなべ》なんて、ありませんよね……」

「ない」

「お台所の道具、適当に使ってかまいません？」

「かまわないよ」

彼女は、手早く料理にかかった。

彼女は、パックに入った鮭の切り身をさらに包丁で小さく切ったり、何種類かの缶詰を開けたりしている。

昨夜と同じくらい地味な恰好《かっこう》だった。白い襟のシャツブラウスの上に、茶色のセーターを着ている。飾り気のない丸首のセーターだ。デニムの長いスカートをはいている。

茶色のストッキングだったが、見えている足は、ふくらはぎのごくわずかに過ぎなかった。

髪は、昨日のように、後ろで一本に束ねている。

台所から湯気がたち、煮たきの匂いがする。それだけで、部屋のなかが和む気がした。人間の生活というのは、こういうものだ。鬼龍は、そう思った。

武賢彦は、浩一には、そんな生活は、必要ないと言う。

浩一も、うすうすそのことを感じていた。こういう日常の生活というのは、自分とは無縁なものなのかもしれないと、彼は思うことがあった。

だからこそ、そういう生活を望んでしまうのかもしれない。人間というのは、無いものねだりをしたくなるものなのだ。

女に料理をしてもらうのは、実のところありがたかった。

男というのは、日常では、なかなか自然界のエネルギーを吸収できないのだ。

一方、女は、何もしなくても大自然のエネルギーを吸収できるようにできている。

男は、女からエネルギーを分けてもらうことが多いのだ。

女が作った料理を食べると、男はどんどん元気になるという。女は料理を作って食べさせることによって、気のエネルギーを男に与えているのだ。

一般の男というのは情けないことに、女がいなければ、どんどん気を消耗してしまうのだ。女が料理をして男がそれを食べるというのは、女性差別だという風潮があるが、それは、気の運行を知らない人間の言うことだと鬼龍は思っていた。あるいは、文明化のせいで、自然の営みを感知できなくなった人間の発言だと考えていた。

男は、女が作ったものを食うことでエネルギーを分けてもらうしかない哀れな生き物だ。もともと、女は、子供を産み育てるために、自然界からの恵みを受けている存在なのだ。

最近日本の男がひ弱になったと言われる。コンビニの弁当や、ファーストフードの食べ物だけを食べていたらひ弱になるのも当たり前なのだ。男性が気のエネルギーを吸収できない世の中になっている。

出生率の低下も、あながち経済的な理由だけではないことに、鬼龍は気づいていた。男が気のエネルギーを享受できないということは、子供を作ろうとするエネルギーが不足することを意味している。

もちろん、食べること以外でも、気を吸収する方法はある。それを知っている男は、何を食べようが元気でいられるかもしれない。しかし、人間が生きていく上で、食べることを軽視することはできない。

久保恵理子が作ったものを食べることで、鬼龍は、早く気のエネルギーを回復できるはずだと思った。

彼女は手際がよかった。二十分ほどで、雑炊を作った。

ほぐした鮭や、缶詰のアサリ、蟹《かに》の肉などがたっぷり入った雑炊だった。出汁《だし》がきいていた。

ほのかに柚子《ゆず》の香りもする。三つ葉の風味がアクセントになっている。

鬼龍は、たちまち、一杯目を平らげ、お代わりをした。

彼は、腹が満たされたことと、雑炊がうまかったこと、そして、女の手料理を食ったという幸福感で機嫌がよくなっていた。

久保恵理子が言った。

「卑弥呼の鬼道について、うかがいたかったのです」

「何が知りたい？」

「昨日、鬼龍さんは、卑弥呼が太陽信仰と拝火信仰の両面を持っているとおっしゃいました。そういう考えかたで調べてみると、確かにそのような解釈も成り立つようです。また、卑弥呼の鬼道は、中国の影響を受けた部分もあるというのもどうやら本当のようです。『魏志倭人伝』には、倭人の習俗について、骨を焼いて卜占《ぼくせん》をやったと書いてあり、それは、中国の亀の甲羅を使った卜占のようだという記述があります」

「そりゃそうさ。『魏志倭人伝』に書かれている倭人というのは、日本の先住民じゃない。中国から朝鮮経由で渡ってきた民族との混血だからな……」

「では、卑弥呼の鬼道というのは、日本の先住民の宗教ではなかったのですね」

「いってみれば、新興宗教だったかもしれない。太陽信仰というのは、大雑把にいうと、海洋民族の信仰で、拝火信仰というのは、山の民の信仰だ。卑弥呼は、その海の民と山の民の信仰を両方とも受け継いでいたんだ。そこに、中国の道教的な信仰を加味していた」

「それは、海幸《うみさち》・山幸《やまさち》の神話を連想させるわ……」

「当然だろうね。海幸・山幸の話は、海洋民族と山の民との戦いと習合を象徴したものだろうからね」

「邪馬台国は、熊襲や琉球《りゅうきゅう》民族のような海洋民族と山の先住民が習合してできた国だというのね？」

「中国から渡ってきた人々が、両方を取り込みながら作った国だ」

「秦《しん》の時代に、大船団が日本に渡ってきたという記述が史記にありますね」

「卑弥呼が王位についていたのは、三世紀だ。史記に出ている中国人の移民が紀元前二世紀。その四百年間は、九州の変革の時代だった。やがて、その変革は大和におよぶ」

「八千年も続いた平和な縄文時代は、中国人が移民してきた紀元前二世紀で終わったというわけですね……」

「それは、あまりにロマンティックだな」

「え……？」

「縄文時代が平和な時代だったという考え方だ。縄文時代にも戦いはあった。ただ、記録に残っていないだけだ。神話としては残されているけどね。縄文時代、たしかに九州は比較的穏やかだった。戦いの中心は、出雲だったからな」

「出雲……？」

「アイヌや山人といった原日本人が住んでいた出雲に、大陸から朝鮮半島を経て、さまざまな民族が渡ってきた。そこで戦いが繰り広げられた。代表的なのは、出雲王朝を作ったオオクニヌシの民族、そして、スサノオの民族、そして、天ノヒボコの民族だ。彼らは、盛んに戦う。例えば、スサノオのヤマタノオロチ退治は、出雲族とスサノオの一族の戦争を意味している」

「ヤマタノオロチ退治は、氾濫《はんらん》する川を支配しようとする治水の戦いを象徴したものだという説が一般的だけど……」

「違うね。出雲族は、龍や蛇をトーテムとしていた。一方、スサノオは、牛頭《ごず》天王と呼ばれるとおり、牛をトーテムとしている。龍蛇族と牛族の戦いだったのさ」

「ヤマタノオロチ退治の舞台となったのは、肥の川。つまり、現在の斐伊川《ひいがわ》ですけど、その上流には鉄山があって、ヤマタノオロチ退治は、その鍛冶部《かぬちべ》の人々との関連で語られるのが一般的になっているわ」

「学者みたいなしゃべりかただな。カヌチべって何だ？」

「あら、あたしも学者の卵のつもりです」

「そうだったな……。でも、こっちは、学者じゃない」

「ごめんなさい。あまりお詳しいので、つい……」

「じいさんや親父から聞いた話だからな……」

「鍛冶部というのは、鉄の採掘や製鉄を生業《なりわい》としていた人々です」

「斐伊川が鉄山と関係があったというのは、正解だ」

「斐伊川では、当時、鉄穴流《かんな》しという方法で鉄を採集していたことが知られています。切り出した砂鉄を含む花崗岩《かこうがん》を斐伊川に流し、砂鉄分だけを取り出すのです。このときに流れだした砂鉄が酸化鉄となって、斐伊川を赤く染め、血が流れだしたように見えて、ヤマタノオロチの伝説を生んだのだろうと言われています。ヤマタノオロチの尾から、クサナギの剣《つるぎ》が出てきたというエピソードも、ヤマタノオロチが斐伊川そのものだったことを物語っているという説もあります」

「その鍛冶部の人々がどんな民族か、考えたことあるかい？」

「倭人でしょう？」

「どんな倭人だったと思う？」

「どんな……？」

「紀元前二世紀ころ、つまり、縄文時代から弥生時代に移り変わるころは、日本列島、特に日本海側は人種の坩堝《るつぼ》だった。さっき言ったアイヌ、山人、オオクニヌシの一族、スサノオの一族、天ノヒボコの一族……、これらは、すべて民族も違えば言葉も違った」

「そうですね……。たしかに、近年、民族史の世界でもそういう見方が強まってきました。鉄を作っていたということは、かなり高度な文明を持っていたと考えていいでしょうから、大陸からの渡来人でしょうね……。そういえば、日本は、縄文時代は石器時代で、その後、青銅器時代を経ずに、弥生時代になって、突然鉄器時代に入ってしまいました。そのことを考えても、製鉄の技術を持った民族が大陸から渡ってきたと考えていいでしょう」

「シュメール人だそうだよ」

久保恵理子は、驚きもしなければ、失笑もしなかった。

「日本人のルーツがシュメール人だという説は、随分まえからあり、正式な学会では黙殺されているものの、根強いものがあります。本格的にその説が論じられるようになったのは、戦前にできた『スメル学会』からでしょう。『スメル学会』は、伊予《いよ》大三島神社の神官だった三島敦雄《みしまあつお》が主宰していました。彼は、元禄《げんろく》時代に来日したケンペルの『高天原《たかまがはら》バビロン』説や、大正末期に原田敬吾《はらだけいご》が唱えた『天孫民族バビロン起源説』の影響を受けていたといわれています」

「どんな学者が何を言ったかは知らない。だが、当時、出雲の地で鉄を作っていたのは、シュメール系の民族だった。シュメールのトーテムは龍蛇だ。そして、火を崇《あが》める風習があった」

「でも、『スメル学会』を始めとする、日本人シュメール起源説は、歴史学の本流ではありません。珍説、奇説の類《たぐい》としてしか取り扱われていないのです。それは、彼らが、記紀以前に書かれたといわれる古史古伝を拠《よ》り所《どころ》にすることが多いからで、古史古伝のほとんどが、偽書とされているのです」

「あんたたち学者の世界でどう考えるかは知らない。だが、実際そうなんだ。『古事記』もシュメール語で読めるという説があるそうだな。そして、シュメール語で読んだほうが曖昧《あいまい》な表現がなくなり、古事記は、激しい民族闘争を記録した文書だということになるそうじゃないか？」

「前波《まえは》仲尾《なかお》という人が、『復原された古事記』という論文で、それを示したといわれています。前波仲尾という人物は、満州教育専門学校の校長でした。『復元された古事記』は、昭和十七年に発表される予定でしたが、出版はされませんでした。弟子に当たる山崎巌《やまざきいわお》警視総監が、不敬罪に当たると忠告したからだといわれています。つまり、その論文を見た人はほとんどいないのです」

「そんなことは、問題じゃないんだ。地名、習俗、トーテム……、いろいろなことを考えると、出雲族は、シュメールの影響を色濃く残している。もちろん、純粋のシュメール人ではなく、大陸を渡るうちに、混血して、モンゴル系に近くなっていたかもしれないがね……。言葉や風習は受け継いでいた。ヤマタノオロチ退治の話はね、砂鉄の権利を争うシュメール系出雲族と、朝鮮半島系のスサ族の戦争の記録なんだ。スサノオというのは、スサ族の男という意味だ。スサ族は、朝鮮半島北方のツングース系とも言われている。牛をトーテムとしている。シュメール系出雲族は、龍や蛇を崇めている」

「どうして、そう自信たっぷりに言えるの？」

「出雲族は、鬼道衆のルーツだからさ。鬼道衆に詳しく語り継がれている」

「あ……」

久保恵理子は、初めて気づいたように言った。「鬼龍さんのお名前の龍は……」

「そう。龍蛇族の名残さ。もっとも、一時期、あまりいい印象を与えないので、群馬県桐生市の桐生に書き換えたこともあるらしいが、何代か前にもとに戻したらしい」

「鬼と龍や蛇は関係があるんですか？」

「あるとも。あんた、鬼の伝承については詳しいんだろ。『弥三郎《やさぶろう》』を知ってるかい？」

「もちろん。御伽草子《おとぎぞうし》『伊吹童子《いぶきどうじ》』の『伊吹の弥三郎』ですね。『伊吹童子』以前では、『三国伝記』にやはり、弥三郎のことが語られています」

『伊吹の弥三郎』というのは、近江国《おうみのくに》伊吹山周辺に語り伝えられた伝説の怪人で、鬼伝説の典型とも言われている。

御伽草子の『伊吹童子』では、弥三郎は、野山の獣を猟《と》って食らい、獲物がないときは、人家の家畜を奪って食ったとされている。また、のちには、人を食らったといわれ、「鬼神といふは是《これ》なるべし」と記されている。

「弥三郎の求婚譚《きゅうこんたん》を思い出してみるといい」

鬼龍は言った。

「弥三郎はある豪族の娘を見初めて、夜な夜なその娘のもとに通った……。ある夜、母親は怪しんで、糸の付いた苧環《おだまき》を娘に渡すのですね……。その針を男の着物に縫い付け、糸をたどってみると、その男というのは、弥三郎だった……」

「その求婚譚というのは、ひとつの典型なのだろう？」

「そうです。蛇聟入苧環《へびむこいりおだまき》型というんです。『古事記』の三輪山《みわやま》神話以来、『肥前国風土記』『平家物語』『源平盛衰記』などで語られ、全国に類似の伝説や民話があります」

「こういう求婚譚の男の正体というのは、何だ？」

「大蛇です。糸をたぐっていくと洞穴があり、男はそのなかで大蛇の正体を現している、というのがパターンで……」

そこまで言って久保恵理子は気づいた。「弥三郎も大蛇の性格を持っていたということですか……？」

「伊吹弥三郎は、伊吹大明神の申し子だ。伊吹大明神の本性は、何か知っているか?」

「ヤマタノオロチ……」

「そう。伊吹の弥三郎は、ヤマタノオロチの申し子ということになる。そして、弥三郎が豪族の娘に生ませた子供が、伊吹童子。後に、伊吹童子は、大江山《おおえやま》に舞台を変えて、酒呑童子《しゅてんどうじ》として語り継がれる。つまり、鬼の代表だ」

「それは、何を意味しているのですか?」

「あんた、鬼についての柳田国男の説に影響されたんだろう。わからないのか?」

「つまり、鬼というのは、龍蛇を崇める民族だったということ?」

「そう。俺たちの先祖だ。天つ神に従わなかった民族。つまり、高天原系の民族に抵抗した先住民だ。それは、シュメールの文化を持っていた。鬼が住むのは地獄だが、地獄というのは、どんなイメージがある?」

「血の池に針の山、溶岩が煮えたぎって、炎が燃え盛っている……」

「それは、縄文から弥生にかけての肥の川のあたりの風景だと思わないか? 真っ赤な川。夜になると、鉄を溶かすタタラの火があかあかと燃えている。その周囲には金くそが積み上げられている。肥の川は、もともとは、燃える火という字の火の川だったといわれているんだろう。そこでほとんど裸体で鉄を掘る人々……。里の人が見たら、それは恐ろしい姿だったろうな。まさに、鬼の姿だ」

「確かにそうだけど……」

「鬼には、角があるだろう。それも、高天原系の人々の異民族に対するイメージの一つだったのかもしれない。天ノヒボコの一族に対するイメージだ。ヒボコの別名を知っているだろう？」

「ツヌガアラシト。つまり、角がある人といわれている……」

「ヒボコ族はスサ族と同じ、牛をトーテムとする民族だったが、異民族には違いなかった。スサ族は、北方ツングース系だが、ヒボコ族は新羅《しらぎ》系だ」

「トーテムというのは、厳密な意味では、正しくないかもしれません。厳密にいうと、同じトーテムの者は婚姻を避けるというようなタブーがあるのです。でも、広い意味で、神聖視している動物という意味でトーテムという言葉をお使いなのだと理解します」

「どうも……。素人なもんでね……」

「その、龍蛇と牛を神聖視していた民族の対立というお話を、証明するような事実は何かありますか？」

「紋章の話はかなり参考になるかもしれない」

「紋章……？」

鬼龍は、もう少しだけ付き合うことにした。

# 8

「菊花紋は、牛族のシンボルで、亀甲紋《きっこうもん》や巴《ともえ》の紋は龍蛇族の紋だというのを知っているか？」

「聞いたことはあります」

「菊花紋は、わが天皇家の紋として有名だが、ほとんど同じ紋が、海外にも見られる。その流れをたどれば、朝鮮、中国、インドネシア、マレーシア、そしてメソポタミアにたどり着く。マレーシアの王家も菊花紋だし、インドやインドネシアの貴族で菊花紋を使っている連中もいる。また、菱形《ひしがた》の紋は、菊花紋のバリエーションだといわれている。源義経《みなもとのよしつね》の笹《ささ》リンドウの紋や甲斐《かい》源氏の割菱《わりびし》紋も同系だ。この菊花紋は、もともとは菊の花を象《かたど》ったものではない。太陽のシンボルなんだ。太陽神と牛のトーテムはペアになっている。菊花紋を持つ民族は、太陽を崇《あが》め、牛を神聖視していた。インドの釈迦《しゃか》はゴータマという名前だったが、ゴータマというのは、最大の牛という意味だ。また、菊花紋のバリエーションのひとつとして、十字紋や卍紋《まんじもん》がある。キリスト教の十字架もそのひとつだ。イエズス・キリストも牛族だったんだ。一方、龍蛇を崇める民族は、巴やカゴメ紋、亀甲紋などをシンボルとした。インドの蛇神であるナーガ神の像にも巴の紋が入っている。そして、龍蛇を神聖視する民族は、拝火信仰を持っている。ちなみに、わが鬼龍家の紋は、二《ふた》つ巴《どもえ》だ」

「メソポタミアの民族が日本で戦争をしたというの？」

「牛族と龍蛇族の戦争は、旧大陸の各地で繰り広げられている。例えば、聖書では、龍を悪魔の使いとしている。その伝統は、おそらくアッカド王朝の時代から受け継がれたものだろうと言われている。アッカド王朝は、牛をトーテムとした太陽神信仰だった。一方、シュメールの拝火信仰は、ペルシアに受け継がれ、ゾロアスター教になる。シルクロードを軽く見てはいけない。さまざまな民族が、陸と海のシルクロードを通って、移動した。日本は、シルクロードの終点なんだ」

「えーと……。あたし、鬼の話をうかがいに来たんですけど……」

「……、ちょっとおしゃべりが過ぎたかな……。要するに、一般に鬼と言われているのは、出雲系の民族であることが多い。長い歴史を通じて、高天原系の民族の敵だったからな……。出雲系の民族というのはシュメール人の風俗・習慣を持った人々で、もともとは、鉄の金工を行う民族だった。鬼と金工史の関連は深いといわれている。

調べてみるといい。そして、鬼と龍蛇が関係が深いこともわかっただろう。俺の故郷の三輪山にも蛇の伝説がある」

「知っています。三輪山の神であるオオモノヌシが大蛇だったという説話が、『日本書紀』に載っていますね」

「そう。オオモノヌシというのは、出雲系の神だ。蛇であって不思議はない。つまり、当時、三輪山に住んでいた豪族も、龍蛇族だったということだ。出雲からの移民だったといわれているがね……。ヒボコ族も、同様に鬼伝説を残している。新羅系の天ノヒボコも高天原系から見れば異民族だからな。ヒボコ族は、吉備《きび》の国に王朝を築いたといわれている。吉備の山も、大昔から金工と縁が深かったといわれている。和歌の世界でも、吉備の枕詞《まくらことば》に『真金《まがね》吹く』というのが使われるそうだ」

「真金吹く　きびの中山　帯にせる　細谷川の音のさやけさ――『古今集』の詠み人知らずの歌だわ」

「ほう……。さすがによく知っている。そして、吉備といえば、鬼とは切っても切れない」

「桃太郎の鬼退治ね……」

「そういうことだ」

「鬼道衆の先祖は、出雲系だとおっしゃいましたね……」

「実は、邪馬台国と出雲系の連合国といったほうがいいかな……」

「邪馬台国……」

「そう。筑紫《つくし》の邪馬台国とは別に、大和にも邪馬台国があった。……というより、大和の邪馬台国というのは分遣隊が開いた国だがね……。知ってのとおり、秦の国から渡ってきた中国人は、蓬莱《ほうらい》の山を探して不老不死の仙薬を見つけようとしていたという伝説がある。中国人たちは、筑紫の国がまずまずの発展を見ると、当初の目的どおり、日本国内を東へと進んでいった。彼らは、紀伊《きい》半島に上陸して熊野《くまの》や大和に定住するんだが、そこには、もともと出雲系のナガスネヒコの一族がいた。秦一族は、そのナガスネヒコにも道教的な文化を伝えた。のちに、その一族は、秦《はた》氏の源流となる。ナガスネヒコや三輪山に勢力を持っていたオオモノヌシは、出雲系だから、拝火教的だった。そこに、陰陽の理《ことわり》を持った中国の文化が加わり、その一帯に、独特の宗教を生んでいく。役行者や安倍晴明の陰陽師が芽生える土壌が出来上がっていたんだ。役行者は、賀茂《かも》氏の出だ。賀茂氏というのは、葛城山《かつらぎさん》を信奉していた。葛城山は、三輪山とおなじくらいの信仰を集めた山だった。安倍晴明の師にあたる陰陽頭の賀茂保憲《やすのり》も同族だ」

「役行者は、鬼を家来に従えていたという伝説がありますね……」

「わが祖先と同じ民族を動かしていたのかもしれないな……。そういえば、徳川幕府のお庭番として活躍する服部《はっとり》半蔵も秦氏の末裔《まつえい》だといわれているし、柳生《やぎゅう》家は出雲系だといわれている。聖徳太子の参謀、秦河勝《はたのかわかつ》も名のとおり秦一族だ。そういう連中は、まつろわぬ山の民の技術を生かしたのだろうな」

「鬼道衆も陰陽師や山伏と同系統ということ？」

「同じ土壌から育ったという意味ではそうだが、鬼道衆は、独自に受け継がれてきたものだ」

「出雲族の文化と秦一族の文化の接点から生まれたというわけですね」

「そういうことだ。秦一族は、邪馬台国と同系統の文化を持っていた。卑弥呼の鬼道とうちの鬼道衆が関係あるといったのは、そういう意味だ」

久保恵理子の目は生き生きと輝いていた。彼女は言った。

「やはり、鬼は、日本の民族史を解くひとつの鍵《かぎ》だったのですね……」

「そうか？　だが、俺は、そういうことには興味はない。俺の家とその一族に関することだから知っているに過ぎない」

彼女は、時計を見た。

すでに十一時になろうとしていた。

「いけない。こんな時間。お疲れのところ、すみませんでした。そろそろ、おいとまします」

鬼龍は、疲れが癒《い》えているような気がした。活力が湧いてきたようだった。久保恵理子が料理をしてくれたせいもあるだろう。だが、彼女といっしょにいるのがよかったのだと思った。気が巡ったのだ。

「なんなら、泊まっていってもいいんだぜ」

鬼龍が言うと、久保恵理子は目を丸くした。

「え……?」

その目がきれいだった。

鬼龍は急に気恥ずかしくなった。

「冗談だよ。駅まで送ろうか」

「いえ、だいじょうぶです。あの……。本当に、急におじゃましてすみませんでした」

「いいんだ。夕飯を作ってもらったしな……」

「今度は、ちゃんとしたものを作って差し上げたいです」

「期待しちまうな……」

「また、お話をうかがいに来ていいですか?」

「鬼に興味を持ってくれる里の人には、冷たくできないよ」

久保恵理子は、ほほえんでから一礼すると去っていった。

翌日は、朝から研修が始まった。

担当が入れ代わりで、業務の流れや、商品知識について説明してくれた。

鬼龍は、まじめに聞くふりをしていた。

彼の評判が悪くなると、リトル・プラムに申し訳がない。鬼龍は、リトル・プラムから出向してきていることになっている。

休憩時間に、さりげなく社内を歩き回った。大きな会社だったので、ふらふら歩き回っても気にする者はいなかった。

昼間は、陰の気は鳴りを潜めている。

一日の研修が終わり、そのレポートを書くふりをしていると、隣の席の飯島清美が声をかけてきた。

「今日も報告書を書いているの？」

「ええ……」

「食事はどうするの？」

「適当に……」

「どう？　いっしょに……」

鬼龍は顔を上げた。

飯島の目は、明らかに挑発的だった。昨夜、佐々木課長を誘惑して虜《とりこ》にしようとしていた受付嬢と同じような雰囲気を漂わせている。

つまり、男にとって抗《あらが》いがたい魅力のある雰囲気だ。

鬼龍がどう返事をしようか迷っていると、人事課の内田が姿を見せた。通りかかったような風情だったが、飯島清美を誘いに来たのは明らかだった。

内田は、飯島清美と視線を交わすと、去って行った。

清美が言った。

「ごめんなさい。急用ができたわ。またね……」

彼女は、席を離れて行った。

これから、社の外で内田と会うのだろうと鬼龍は思った。待ち合わせ場所があらかじめ決まっているのかもしれない。

鬼龍は、小さくかぶりを振ると、また机に向かった。社内に人気《ひとけ》がなくなるのを待っているのだ。

バブル経済のころはたいへんだった。どこの会社でもなかなか社員が帰ろうとしないのだ。

だが、このところ、残業代カットなどで、社員が引けるのが早くなっており、鬼龍の仕事はやりやすくなっていた。

昨日と同様、馬場課長だけが残っていた。その総務課長が声を掛けてきた。

「鬼龍くん。昨日は大変だったね……」

「は……？」

「受付の女の子だよ……。あれから、私、病院まで付き添ってね……」

「それはどうも……。彼女の様子はどうでした」

「うん。救急車のなかで気がついてね……。病院に着くころはぴんぴんしていた。なんだか、救急隊員に申し訳なくてね。たいした容体じゃないのに、救急車を呼ぶ連中がいるそうだね」

鬼龍は、曖昧《あいまい》に返事をした。

その受付嬢とは、今朝も顔を合わせている。彼女は会社を休まずに出勤していた。鬼龍を見ても、特別な反応は見せなかった。やはり、昨日のことは、何も覚えていないのだ。

佐々木課長も同様だった。何があったのかわからないのだ。

ただ、彼の場合、下半身丸出しで、受付嬢の控室で意識を取り戻したのだから、心中穏やかではないはずだ。

馬場課長が机の上を片づけはじめたので、鬼龍はほっとした。

「君はまだ残るのかね？」

「ええ。報告書は、その日のうちに書いてしまわないと……」

「そうだね……。じゃ、私は先に失礼するよ」

「お疲れさまでした」

課長がエレベーターで下っていくのを確認して、鬼龍は、活動を開始した。

受付嬢の控室は、昨日片づけた。問題は女子更衣室だ。鬼龍は、そのドアをそっと開け、なかに入った。化粧の甘い匂いがする。ロッカーが並んでおり、なにか後ろめたい趣味を楽しんでいるような気分になった。

(こんなところを誰かに見られて、変態扱いされるのはまっぴらだな……)

鬼龍は、上中下の三つの丹田を活性化させた。

両手を差し出し、体中に陽の気が満ちてくるのを待つ。

両方のてのひらを天井に向けて突き上げると同時に、勢いよく、呼吸を吐いた。

その瞬間に、鬼龍の体から陽の気がほとばしる。てのひらからの放射が最も強かった。鬼龍の陽の気で、凝り固まっていた陰の気が中和された。

室内がまばゆく光ったように、鬼龍は感じた。

(これでよし……)

鬼龍は、まず、そっと廊下の様子をドアの隙間からうかがい、急いで更衣室を出た。

鬼龍は、階段を使って五階に降りた。

とたんに、彼は、ぽかんと立ち尽くした。五階は、この会社のなかでは別世界だった。ここにいる社員の服装を見たときもそういう印象を受けたが、今、この時間に来てみるといっそう、そういう感じがした。

この時間も、社員がふらふらと歩き回っている。デスクで電話を掛ける者、打合わせをしている者、店屋物の食事をしている者、テレビを見ている者……。

この階はたいへん開放的だった。

広告と企画関係の部署がある階なのだ。バブルが弾《はじ》けて以来、企業は、広告費を厳しく切り詰める傾向にある。

『小梅屋』も例外ではないはずだった。だが、部署の雰囲気というのは、なかなか変えられるものではないのだ。

しかも、広告や企画という仕事は、相手に合わせることが多いので、どうしても時間が不規則になる。

昼間は、デスクにいないくせに、夜になるとぞろぞろと集まってくるのだ。

鬼龍は、笑いを洩《も》らした。

（この階はだいじょうぶそうだな……）

陰の気を感じない。

こういう開放的な雰囲気のところには、陰の気が固まりにくいのだ。広告の人間は、社内で遊ぼうなどとは考えていないのだろうと鬼龍は思った。

彼らは、外に楽しみが沢山あるのだ。

鬼龍は、さらに階段を下り、四階に来た。とたんに、雰囲気が変わった。

暗く抑圧されたような気がする。

三階と四階は営業の階だった。景気のいいころは、活気もあったのだろうが、今は、静かだ。

何人か営業課員が残っていたが、やはり人影はまばらだった。

鬼龍は、気を探りながら、廊下を進んだ。やはり、女子更衣室があり、そこから、陰の気が漏れていた。

鬼龍はさきほどとまったく同様の処置を施した。更衣室を出て、さらに歩き回っていると、また強い陰の気を感じた。

鬼龍は、その気をたどっていった。

コピー室だった。ドアに身を寄せると、荒い男女の息づかいが聞こえる。双方とも、必死に声を抑えているような感じだ。

鬼龍は、ほそくドアを開けてそっと中をのぞいた。

制服姿の女子社員と男性社員が交わっていた。

立ったままの女子社員をコピー機に押しつけ、片方の膝《ひざ》を持ち上げて、男が腰を突き上げている。

驚いたことに女は、飯島清美で、男は内田だった。てっきり外に出掛けたものと思っていたのだが、よその階に来て楽しんでいたのだ。

会社で制服を着せたままで、というのがいいのかもしれない。

(おやまあ……。大胆だな……)

彼らは亡者ではなかった。社内の陰の気に敏感に反応しているだけなのだ。その、欲情がまた、陰の気を発しているのだが、問題になるほど強いものではなかった。

鬼龍は放っておくことにした。

## 9

鬼龍は、三階に降りて、やはり、陰の気が凝り固まっている場所に処置をほどこした。

気を中和させておけば、しばらくはもつ。社内の雰囲気はかなり変わるはずだった。

完全に陰の気を追いやってしまうと、その場所は、清涼な感じにはなるが、反面、ぱさぱさとして面白味のない雰囲気になってしまう。

禅寺や修行の場ならそれでもいいが、人間が生活する場としては、居心地はあまりよくない。バランスが大切なのだ。

適度の陰の気は必要なのだ。

こうして、陰の気を祓《はら》っても、亡者がひとりいれば、また、陰の気はじきに凝り固まってくる。

亡者を祓わなければ、元の木阿弥《もくあみ》となってしまうのだ。

二階の商品管理部は、比較的陰の気が希薄だった。放っておいてもかまわない程度だ。

やはり、人の情念が交錯する場所に陰の気が集まりやすい。

営業というのは、社内の花形だが、それだけに、さまざまな人の感情が入り乱れているのだ。

亡者の虜《とりこ》になって、亡者と化してしまうのが普通だ。ドラキュラに血を吸われた者が吸血鬼になるようなものだ。

だが、稀《まれ》に、単独で亡者になってしまうケースもある。

激しい嫉妬《しっと》、劣等感、恨み……。そういった感情が陰の気を呼び、凝り固まってしまうことがあるのだ。

女性の場合は、人並みはずれた性への欲求や、愛されたいという欲求、あるいは、ちやほやされたいという欲求が強すぎる場合に、陰の気が固まり、亡者になることもある。

かつて、亡者は、芸能界や水商売、芸術の世界などに多かった。

そういう世界はもともと陰の気が強い。というより、陰の気がなければ成立しない世界なのだ。

芸能界や芸術の世界では、男でも陰の気が強いほうが成功しやすい。女性的な男がファッション・デザインや芸術の世界で活躍するケースは珍しくない。男優も意外とゲイが多いのだ。

だが、最近は、普通の企業でも亡者が増えてきた。

不況の影響はそういうところにまで及ぶ。絶望や妬み、憎しみが企業に渦巻いているのだ。

危険な兆候だった。亡者は、周囲の人間をつぎつぎと虜にして、廃人にしてしまう。

『小梅屋』で、役員が自殺未遂したり、交通事故を起こしたりしたのは、たったひとりの亡者のせいに違いなかった。

受付嬢がおかしくなったのもそのせいだ。佐々木課長も虜にされるところだった。

「さて、その問題の役員室だが……」

鬼龍はつぶやいた。

役員室と社長室のある七階は、他の階のように簡単にはいかなかった。

役員がひとりでもいれば、秘書が残っているはずだった。役員室にはなかなか近づけない。

(研修社員になんか化けるからだ)

鬼龍浩一は心のなかで毒づいた。(銀行員か何かにしてくれりゃいいんだ)

だが、それが無理なのを、鬼龍浩一も知っていた。経営の合理化のために銀行からやってきた出向社員ということならば、確かに社内を自由に歩き回れるかもしれない。

しかし、そうなると、四六時中、社内から注目されることになる。特に、役員や管理職にとって銀行員ほど煙ったいものはない。

また、銀行の手が入ったとなると、社内外で大騒ぎになるのは必至だった。経営危機だと判断されるからだ。社員たちは不安を感じるし、株価は下がるかもしれない。

鬼龍浩一は、そういう波風を立てるわけにはいかないのだ。

（まあ、案ずるより産むが易しというしな……。とりあえず、七階に行ってみるか……）

鬼龍は、エレベーターで七階に向かった。

エレベーターのドアが開いた瞬間、七階には、陰の気が満ちているのに気づいた。

（亡者が活動を始めている）

鬼龍浩一は、奥歯を嚙《か》みしめていた。

各階の凝り固まった陰の気を中和させるだけで、かなり陽の気を使ってしまっていた。すでに、鬼龍の陽の気は不足しはじめており、いつもの虚脱感が襲いはじめていた。

ただ、様子を見ようと思ってやってきた鬼龍は、自分の安易さをなじった。

(今、亡者にでっくわしたら、気を全部食われてしまう)

鬼龍は思った。(へたをすると、命が危ない……)

亡者が何をやっているかはわからない。

結界のなかで、妄想の世界を作り上げ、誰かを生贄《いけにえ》にしてやりたい放題の乱行をはたらいているのかもしれなかった。

(くやしいが、出直したほうがよさそうだ)

鬼龍がそう思ったとき、ドアが激しく開く音がした。

鬼龍は、はっとそちらを向いた。

全裸の女が飛び出してきて、鬼龍は仰天した。

女は、まっすぐに鬼龍のほうに駆けてくる。

亡者かと思った。

裸で駆けだしてくる女など、亡者くらいのものだ。

鬼龍は、身構えた。

だが、そうではなかった。女は鬼龍にようやく気づいて、はっとした。彼女は、立ち止まり、小さな悲鳴を上げると、両手で前を隠そうとした。

前かがみになり、片方の膝を心持ちあげてふとももを擦《こす》り合わせ、大事なところを鬼龍の目から守ろうとしている。

その仕草のせいで、女が裸であることがいっそう強調された。裸で飛び出してきたときは、なんとも思わなかった。ただ、驚いただけだ。

「何だ。どうしたんだ、いったい……」

女は、そこから逃げようとした。

彼女は完全にパニックになっている。女は、カーペットの上を走り、女子トイレに逃げ込んだ。

反射的に女子トイレを選んだのだ。

女子トイレも男を寄せつけない精神的な結界といえる。彼女は、その精神的な結界に逃げ込もうとしたのだ。

鬼龍は追った。女子トイレのなかだろうが、かまってはいられない。

彼女は、個室に逃げ込んだ。

「どうした。何があったんだ？」

鬼龍は尋ねた。

返事はない。

鬼龍は、個室の壁と天井の間が開いているのを見て取った。彼は、背広を脱いでそのスペースから、中へ放った。

「それを着るんだ。とにかく、落ち着いて、何があったか話してくれ」

反応はない。鬼龍は辛抱強く待つことにした。

しばらくして、個室のドアがおずおずと開いた。

鬼龍の背広を着て、前を固く合わせた女が不安げに姿を見せた。背広は、ミニスカート程度の丈になって、彼女の体をすっぽりと覆っている。

何かを身につけることで、幾分か落ち着いたようだった。

その背広の下から伸びている脚は見事だった。しなやかに長い。

ショートカットだが、男性的な感じがまったくしない。彼女の顔だちは、高貴な印象があるほどに整っている。ある種の冷たさを感じさせるが、それがまた美しさを引き立てているようだった。

彼女の顔は真《ま》っ蒼《さお》だった。

怯《おび》えた表情で、鬼龍の顔を見つめている。

「あなたは……？」

「怪しい者じゃない」

(本当は充分に怪しいんだがな)

そう思いながら、鬼龍は言った。「何があった？」

「言っても信じてもらえないわ」

「はなっからそう決めつけるもんじゃない。俺はたいていのことなら驚かない」

「だって、あたし自身が信じられないんだもの……」

「枕崎専務か？」

この一言は効果的だった。

彼女は、はっと目を見開き、鬼龍を見つめた。

効果的だったが、彼女を警戒させる結果になったかもしれなかった。

「心配ない」

鬼龍は言った。「俺は、あんたたちを助けるためにやってきた」

「助ける……？」

「そう。枕崎専務を何とかしなければならないと考えている」

「あなた、いったい何なの？」

「言っても信じないかもしれない」

「はなっからそう決めつけるもんじゃないわ」

鬼龍は、ほほえんだ。彼女は充分に落ち着いている。そして、鬼龍にそれほど反感を持っていないことがわかった。

「秘密は守れるか？」

「あたしがこんな恰好《かっこう》でいたことを秘密にしてくれたらね……」

「俺は鬼道衆の者だ。亡者祓《ばら》いを仕事にしている。この会社には、研修のためにリトル・プラムから出向してきたことになっている」

「キドウシュウ……?」

「まあ、悪魔祓いのようなものと考えてくれ。この会社に亡者が現れたという依頼があった。俺は、それを祓いに来た」

「亡者って、あの金の亡者とかいうときの亡者……?」

「そうだ。専門的なことをいうとね、陰の気の虜《とりこ》になった化け物だ」

「それって、枕崎専務のことね」

「そう。さ、今度は、君が話す番だ」

「あたしは、専務秘書のひとりよ。夏葉《なつは》亮子《りようこ》というの。専務は、いつも遅くまで会社に残っているの。いつもは、男性の秘書が付いているんだけれど、今日は、男性秘書が皆用事で出払っていて、あたしが残ることになったの。秘書室にいると、専務に呼ばれたので、専務室に行って……。書類を作るので口述筆記をしてくれと言われたの。専務がしゃべって、あたしはそれを紙に書きはじめた……。覚えているのはそこまで……」

「気がついたら、裸になっていたというんだな……」

「あたしだけじゃなく、専務もズボンを脱いでいたわ……。気がついたとき、専務は……」

彼女は、思い出したくないことを思い出してしまったのだ。またしても、精神的に不安定になっていた。

夏葉亮子は、鬼龍とは目を合わさずに、壁のほうを見つめて言った。「あたしの脚の間を覗《のぞ》き込んでいたの。顔を、くっつくくらいに近づけて……。そして……、なめたの。その感触のおぞましさに、あたしは、わけがわからなくなって……」

「わかった。もういい」

だが、夏葉亮子はやめなかった。

「その時の専務は、専務じゃなかったわ。何か、得体のしれない化け物だった。舌が十センチも伸びたような気がした……。両手であたしのふとももをつかんでいたんだけど、その手が人間の手じゃないようだったわ。なんだか、ぬめぬめしていて……。確かに、専務の背広を着ていて、顔も専務のものだったけど、あれは、まったく違う化け物よ……」

吐き出してしまわずにはいられないというしゃべりかただった。

「それが亡者だ。あんたは、亡者の作りだす妄想の世界に引きずり込まれたんだ。よく現実に戻れたもんだ」

「そういえば……。専務が、一瞬、びくりと顔を上げたの。そのときに、あたしは、はっと我に返った気がするわ……」

亡者が、鬼龍の気配に反応したのだと思った。

亡者というのは、人間離れした感覚を手に入れることがしばしばある。特に、陽の気を強く持った者には敏感になるのだ。

「これまで、セクハラとかにあったことはあるか？」

「ないわ。専務はとてもエネルギッシュな人だけれど、どちらかといえば、物静かな紳士よ」

「そういうのが、けっこう危ないんだ……」

「え……？」

「いや、こっちのことだ。さて、そんな恰好で帰るわけにはいかないな……。洋服を取ってこなきゃ……」

「専務の部屋に行くのはいやよ」

「当然だな。俺が様子を見てくる……」

鬼龍は、トイレを出た。

陰の気が幾分か薄まっている。

（出ていったか……）

鬼龍は、警戒しながら、秘書室を通り抜けた。

秘書室の向こうにドアが並んでいた。

さらにその突き当たりにドアがあり、そのドアが社長室だった。

ドアには名札が掛かっており、誰の部屋かわかるようになっている。その名札は役員室の所有権を主張しているようでもあった。

鬼龍は、枕崎専務の部屋のドアの前に立った。気を探ってみる。

陰の気は、確かに強いが、さきほどのように異常な感じはしない。中に人の気配はなかった。

専務はあわてて部屋を出ていったようだ。獲物の秘書に逃げられてうろたえたのか、それとも、鬼龍の気配を感じて警戒したのか……。

鬼龍は、無造作にドアを開けた。

部屋の中は、乱れてはいなかった。書類もきちんと整理されているし、机やロッカーなどもきれいに拭《ふ》き掃除されている。

にもかかわらず、どこか崩れた感じがする。陰の気が満ちているせいだった。

鬼龍は、夏葉亮子の服を発見した。

白いブラウスに、紺色のスーツ。秘書の典型といった洋服だった。

それに、スリップと淡いブラウンのストッキング。白いブラジャーとパンティー。

それが、部屋のなかに投げ捨てられているのではなく、ソファの上に畳んで置いてあった。

どれも引き裂かれたような様子はなかった。

夏葉亮子が脱がされるのに抵抗しなかったか、あるいは、自分で脱いだかのどちらかだろう。

服を放り出さず、ちゃんと畳んで置いてあるところに、専務の異常さを感じた。亡者は、こうしたこだわりを見せるのだ。何か妙なところに神経症のようにこだわるのだった。

鬼龍は、服を持ってトイレに戻った。服の間に下着をはさむ心遣いを忘れなかった。

「専務はいなかったの？」

夏葉亮子は、尋ねた。

「いなかった」

彼女は、服を受け取り、個室のなかに入った。

個室から出てきたときは、非の打ち所のない秘書の姿となっていた。鬼龍は、緊張してしまいそうだった。

女というのは、たいていは、裸のときより、服を着ているときのほうが存在感がある。夏葉亮子は、紺のスーツを着ることで自信を取り戻したように見えた。

その服が自分を美しく見せることを知っているようだった。

「『シャンパーニュ』に行ったのかもしれないわ」

「『シャンパーニュ』……？」

「専務がお気に入りの銀座のクラブよ。長いこと通っているらしいわ」

銀座のクラブというのは、いい目の付けどころだと鬼龍は思った。

陰の気の結界を抜け出した枕崎専務は、再び、陰の気が満ちた場所に逃げ込みたがるかもしれない。

「そのクラブはどこにある？」

「銀座八丁目よ」

「……と言われても、夜の銀座などに縁はないしな……」

「あたしのデスクに行けば、電話番号があるかもしれない。いざというときの連絡用に、そういう場所の電話番号も控えてあるの」

「秘書というのは大変だな……」

彼女の机は、整理されており、何がどこにあるかたちどころにわかるようになっていた。

夏葉亮子は、すぐに『シャンパーニュ』の電話番号を見つけた。

「ちょっと、覗いてみるか……」

「あたしはどこかで一杯引っかけてから帰るわ」

「それがいい」

「会社をどうするか、ゆっくり考えなくちゃならないし……。今の世の中、再就職も楽じゃないから……」

「そうだな……」

鬼龍は、エレベーターに向かおうとした。

「冷たいのね。付き合おうとかいう気はないわけ？」

「俺は銀座に行かなければならない」

「じゃ、あたしも銀座に飲みに行くわ」


夏葉亮子は本当に銀座までついてきた。

公衆電話から店にかけて場所を聞いた。『シャンパーニュ』を見つけるのに時間がかかった。銀座の路地は、迷路のような気がした。路地を挟むビルには、クラブの看板が縦にずらりと並んでいる。

「あなた、さっきと感じが変わったわ」

夏葉亮子が言った。

「そうか」

ビルの看板を見上げながら、鬼龍はこたえた。

「なんだか、目立たない男になっちゃった感じ」

「これが地かもしれない」

「そうじゃないわね……。それは、カムフラージュなのよ」

「あった、あそこだ……」

夏葉亮子は、ため息をついた。

彼女は、あたりを見回して、バーを見つけた。そこを指さして言う。

「あたし、あそこで飲んでいるわ。あとで気が向いたら寄ってよ」

鬼龍は、そのバーの看板を見た。

「気が向いたらな……」

# 10

「いらっしゃいませ。おひとりですか？」

ドアを開けると、黒いスーツを着た従業員に声を掛けられた。

「この店は、初めてなんだ」

「わかりました」

すべてを心得ているという調子で、従業員は言った。

席に案内されると、ほどなく、別の男性従業員が、飲み物の注文を取りにきた。ボトルを入れろという意味であることを、鬼龍は知っていた。知り合いのホステスでもいれば、誰か別の客のボトルでも適当に出させるところだが、初めての店ではそうもいかない。

安めのウイスキーを頼んだ。

（これで、七、八万は飛ぶな……）

鬼龍は、必要経費として認められるかどうか不安になった。

なんだか、港を見下ろす高級マンションが遠ざかりそうな気がして、少しばかりなさけなくなった。

席にホステスがやってきた。ミニスカートのスーツを着ている。スーツの色は、ピンク色だった。

髪を栗色に染めて、前髪を派手に作っていた。まだ若い娘だった。

ホステスは、春香《はるか》と名乗った。

「ひとり？　初めて？」

「そう」

「誰かの紹介？」

「いや、そうじゃないが……。『小梅屋』の枕崎専務がよくお見えになると聞いてね……」

「お仕事の関係？」

「そう。こんど、『小梅屋』とちょっとした商談をすることになってね……。枕崎専務がどんなお店をお好きなのか、事前に調べておこうと思ったわけさ」

「今夜もいらしてるわね……」

「あ、そう。どこ……？」

「取り引きするのに、顔を知らないの？」

「俺なんか、下っ端だぜ。偉い人の顔なんかそうそう拝めないよ。それに、商談は、まだこれからなんだ」

　春香と名乗ったホステスは、さりげなく振り向いていった。

「あの、右から二番目の席。付いているのはうちのママよ」

「へえ……。ママのお客さん？」

「いちおうね……。昔は、若い子のお気に入りがいてね……。それで通ってきてたんだけど……」

「その子はどうしたの？」

「やめたわ……。タレントの卵だといってたけど……。ホステスって多いのよね、タレント崩れだとか、女優の卵だとかいうのが……」

「へえ、そうなの？」

「うちにいるときは、ルミという名前だったけど、本名は忘れちゃったわ。あまり、親しくなかったの。なんでも、最近、テレビに出始めたって聞いたけど……」

「ほう……。タレントとして成功したわけか……」

「知らない。成功というほどじゃないかもしれない。あたし、見たことないからわかんないわ」

鬼龍は、枕崎専務をさり気なく観察していた。彼は、枕崎専務を初めて見るのだ。思ったよりずっと見かけがよかった。ハンサムと言っていいだろう。腹は出ているものの、体形はそれほど崩れてはいない。

ダークグレーにピンストライプが入ったダブルのスーツを着ていた。高級そうなスーツだった。

白髪の混じった髪をオールバックにしている。夏葉亮子が言ったように紳士に見えた。ホステスの体をさわったりはしない。

枕崎は、すっかり落ち着いていた。亡者とは思えないほどだった。

自制心が強いのだろうと鬼龍は思った。

(夏葉亮子のことは、どうするつもりなんだろう?)

鬼龍は、考えた。

夏葉亮子が騒ぎ立てたら、それなりの問題になるのではないかと思った。だが、枕崎は気にしていないように見える。

(抑え込む自信があるのか……)

それから、枕崎は、三十分ほどいて帰った。枕崎が店を出ると、鬼龍もチェックをした。カードで払ったが、やはり七万円以上取られた。

『シャンパーニュ』を出ると、鬼龍は、向かいのバーに寄った。

夏葉亮子がカウンターで飲んでいた。

「まだいたのか……」

「待ってるって言わなかったかしら？」

鬼龍は、バーテンダーにウイスキーの水割りを注文した。

「今夜のこと、訴えたりするのか？」

「いいえ。そんなことしても何の得にもならないわ」

「泣き寝入りか？」

夏葉亮子は、鬼龍を見た。

「泣き寝入りするつもりなんてないわ。泣いたりしないもの。あなたが、枕崎専務をやっつけてくれるんでしょう？」

「うーん……。正確にいうと、専務をやっつけるわけじゃない。亡者を祓《はら》うんだ」

「あたしをあんな目にあわせたのは、その亡者でしょ。つまり、あなたが仇《かたき》をとってくれるというわけよね……」

「そういうことになるかな……」

「疲れたわ。行きましょう」

「どこへ……？」

「あなたの部屋はどう？」

「女を連れ込むような部屋じゃないよ」

「あたしは両親と住んでいるの。じゃ、ホテルね……」

「あんたのようにいい女が、物欲しげに男を口説くもんじゃないよ」

「御祓いをしてもらうのよ」

「御祓い……？」

「あたしの体に残っている亡者の感触を祓ってもらうのよ。あなたの仕事でしょ」

彼女は、席を立った。

夏葉亮子は、男たちがため息をついて憧《あこが》れるような体をしていた。モデルのように、すらりとしており、眺めるのにも、抱くのにも心地よかった。胸は大きくはないが、形がいい。腰は豊かだったが、引き締まっており、長い脚につながる曲線は見事だった。

彼女は、積極的に快感を求めた。鬼龍のあらゆる動きに反応する。

鬼龍がてのひらで滑らかな脇腹をなぞると、たちまち、体をのけ反らせた。

彼女の体は、興奮のせいで、大変敏感になっていた。どんな刺激も性的な快感に変えてしまう状態だった。

実際、彼女は、体中で快感を貪《むさぼ》っていた。性器の交わりなしに、達してしまいそうになっている。

体のあちらこちらが火照っている。

鬼龍は、その熱い体を慈しむようになでさすった。

手を使い、体をすり合わせた。

男女の交わりが、気の巡りのためにいいのはよく知られている。幸福なセックスを充分に行っている男女は、病気知らずだといわれる。

女性特有のやっかいな症状も、満足のいくセックスを繰り返すことで、改善されるという。

例えば、冷え性やのぼせ、生理不順などの症状だ。

満足のいくセックスというのは、幸福感のあるセックスのことだ。後ろめたさや悲壮感のある交わりは、逆に気の流れを滞らせ、病気を作るといわれている。

鬼龍にとってもありがたかった。

女と気を交換することで、経絡《けいらく》を活性化できるのだ。

充分にうるおっている夏葉亮子のなかに、鬼龍はゆっくりと入っていった。中は熱かった。

その瞬間、夏葉亮子は、声を上げて首をのけ反らせた。

鬼龍が動き始めると、亮子は、その動きに合わせるようにして高まっていった。

亮子が動くたびに、中の熱い壁も動く。味わうように締めつけてくる。

ふたりの動きが一致していく。

夏葉亮子は、うわ言のように声を上げている。快感の波に翻弄《ほんろう》されているのだ。

亮子の動きが止まった。彼女は、最大の波を捉《とら》えたのだ。体の奥底から、わき上がってくる波を待っている。

次の瞬間、彼女は、叫んだ。

同時に、鬼龍も達していた。

しばらく亮子は死んだように動かなかった。全身にしっとりと汗をかいている。

やがて彼女はゆっくりと寝返りを打った。

「すてきな御祓いだったわ」

甘えるような声だった。

「あんたが亡者にされなくて、本当によかった」

「亡者にされる？」

「亡者は虜《とりこ》にした人間を亡者にしてしまう。あんたが亡者になったら、きっと周囲の男たちは、たちまち、虜にされてしまう。今でも充分、男を虜にしちまうんだからな……」

亮子はほほえんだ。満ち足りた女のほほえみは優しく美しい。

彼女はしなやかな脚を擦り寄せてきた。

「あなたも、あたしの虜になる？」

「御祓いをするたびに虜になっていたら、商売にならないよ」

彼女は、鼻を鳴らすように笑った。猫がすり抜けていくような感じで、彼女はベッドを出た。バスルームに向かう。

ショートカットの髪にスレンダーな肢体。すばらしい眺めだった。


鬼龍は、夏葉亮子をタクシーで送って行った。彼女の家は本郷《ほんごう》にあった。

細い路地の奥に玄関があり、タクシーは、彼女を降ろしてから方向転換をしてもとの道に出なくてはならなかった。

一度通りすぎたタクシーが戻ってくるのを彼女は玄関先に立って見ている。中の鬼龍に手を振った。

鬼龍は、タクシーが彼女の前を通りすぎるときに手を振ってやった。

長い一日だった。これでようやく眠れると彼は思った。

彼女は、もう家に入っただろうかと、鬼龍は何気なく振り返った。

ふたりの男が、亮子に近づくのが見えた。鬼龍は、言った。

「運転手さん、止めてくれ」

玄関のドアに鍵《かぎ》を差し込もうとしていた亮子は、後ろから人が近づいてくるのに気がついた。

鬼龍かと思って振り向いた。

その瞬間に口を塞《ふさ》がれた。

彼女は驚いた。見たこともない男だった。黒い革のジャンパーを着ている。

別の男が現れた。彼女は、訳がわからなかった。

ふたりの男は、終始無言だった。彼らは、亮子を引きずるようにして、連れ去ろうとした。

狭い路地を抜けたところにバンが駐車していた。そのスライド・ドアが開いている。

男たちは、そのバンに亮子を押し込もうとした。

亮子は、男たちの目的を悟った。誘拐しようとしているのだ。

彼女は必死に抵抗したが、男たちは手慣れていた。

いつのまにか、口には、ガムテープが貼られていた。

抵抗もむなしく、亮子は、バンのなかに、放り込まれた。逃げだそうと身を乗り出した亮子は、腹を蹴《け》られた。

シートの上に尻餅《しりもち》をついてしまった。

恐怖を感じていた。だが、それより、腹が立った。

男のひとりが、のしかかるように乗り込んできた。シートはあらかじめフラットにしてあった。

さらに、もうひとりが、車のなかに入ろうとする。ふたりがかりで、亮子を犯そうというのだ。

運転席に別の男がいて、その男は、八ミリ・ビデオのカメラを構えていた。

亮子は、恐慌を起こしかけていた。必死にもがいて逃れようとする。上に乗っていた男が、亮子の頰を張った。

頰がじんと痺《しび》れた。

一瞬、抵抗する気がそがれた。亮子は、ぐったりと身を横たえた。怒りと絶望が彼女の胸を満たした。

そのとき、スライド・ドアのところにいた男が吹っ飛んだ。

彼は、アスファルトの路上に転がり、その痛みのためにもがいた。

アスファルトというのは、転ぶだけでかなりの衝撃がある。

亮子は、開いたスライド・ドアの向こうに鬼龍浩一が立っているのを見た。

鬼龍は、まず、ドアのところに立っている男に体当たりを見舞った。

男は、まったく警戒していなかったので、もんどり打って転がった。腰をアスファルトの地面に打ちつけて苦悶《くもん》している。

鬼龍は、亮子を押さえつけている男のベルトに手を掛けて引きずり出そうとした。

男は、いきなり、踵《かかと》を突き出してきた。後ろ蹴りの要領だった。

鬼龍は、その後ろ蹴りを腹にくらった。思わず体を折り、二、三歩後退した。

転んだ男が起き上がって、鬼龍につかみかかってきた。

鬼龍の袖《そで》を取り、右手を封じている。その状態で、右フックを顔面に飛ばしてきた。

鬼龍は、左の肘《ひじ》を上げて相手の右フックをブロックした。そのまま、左のてのひらを突き出した。

相手の顔面をとらえた。

相手は、一瞬ひるんだ。鬼龍の右袖をつかんでいた手が緩む。

鬼龍は、右の拳《こぶし》を相手の鳩尾《みぞおち》にたたき込んだ。

腰を充分にひねり、下から突き上げるように打っていた。

相手は、そのショックで反撃できなかった。鬼龍は、完全に動きを止めてしまった相手の髪を摑《つか》み、頭を引き降ろした。その顔面に膝《ひざ》をたたき込む。

危険な行為だが、この際、そんなことは言っていられない。三対一なのだ。

膝にぐしゃりという感触が伝わってきた。鼻骨が折れたようだ。相手は、鼻血をまき散らしながら、のけ反って倒れた。

鬼龍は、倒れていく相手の後頭部をさらに蹴り上げた。相手は完全に眠った。

革ジャンの男が、出てきた。

さらに、運転席でビデオ・カメラを回していた男もやってきた。

革のジャンパーの男は、人相が悪かった。体格もいい。

運転席にいた男のほうは、貧弱な体格をしている。

こういう場合、強いほうを先にやっつけるのが鉄則だ。

鬼龍は、革のジャンパーの男を見据えていた。運転席の男は、視界の隅にとらえておく。

鬼龍のほうから手を出す必要はない。邪魔が入って向こうは焦っているはずだ。

相手が手を出す瞬間に合わせ技を狙うのがもっとも効果的なのだ。

革ジャンの男は、左のジャブ、右のストレート、そして、右のローキックを続けて出した。

流れるようなコンビネーションだった。喧嘩《けんか》慣れしている。

鬼龍は、最後のローキックまで待っていなかった。

ジャブかストレートを食らうのを覚悟の上で、突っ込んだ。顔面をカバーしていたので、相手のパンチは、顔面には当たらなかった。肩のあたりに右のストレートが当たったが、鬼龍が突っ込んでいる分だけ、距離が不充分で、威力のない中途半端なパンチとなった。

鬼龍は、相手の脚の後ろに踏み込み、顎《あご》を突き上げていた。

カウンターのタイミングで、裏投げの形になった。

革ジャンの男は、こらえることができず、仰向《あおむ》けに倒された。

男が倒れた瞬間に、鬼龍は、踵で蹴り降ろしていた。踵が、革ジャンの男の顔面に決まる。

革ジャンの男は、まず顔面に鬼龍の踵蹴りを食らい、その勢いで後頭部をアスファルトの地面に激突させた。

彼は昏倒《こんとう》した。

運転席にいた男がひとり残った。

彼は、やけっぱちの調子で殴りかかってきた。

鬼龍は、おちついて体をさばき、そのパンチをかわした。かわしておいて、その腕を取り、手首を内側に返して投げた。小手返し投げだった。

小手返し投げは、広くいろいろな柔術の流派で使われている一般的な技だ。投げておいて、相手をうつ伏せにさせ、そのまま、相手の肘と手首を決めた。

「なんで彼女を襲った？」

相手は激痛に喘《あえ》いだ。

「た……助けてくれ」

鬼龍は、決めをさらに強めた。経絡のつぼを決めているので、おそろしい痛みだった。この痛みに耐えられる者はいない。

関節を逆に決められるのも痛いが、経絡のつぼを決められるのはさらに痛い。

「なぜ、彼女を襲ったんだ？」

鬼龍は、もう一度同じことを尋ねた。

「頼まれたんだ」

「誰に……？」

「言えねえよ……」

鬼龍は、さらに手首と肘を締め上げた。肩にも激痛が走っているはずだ。

男は、声にならない悲鳴を上げ、ついに、失禁した。

「わかった。言う。手を緩めてくれ」

鬼龍は、緩めなかった。

「早く言うんだな……」

「中沢美紀だ」

「中沢美紀だって……？」

鬼龍は混乱した。

てっきり、枕崎専務が雇ったのだと思っていたのだ。こんなところで、中沢美紀の名前が出るとは思ってもいなかった。

鬼龍は、手を放した。男は、尻をついたまま、あとずさりした。

鬼龍は、車から抜け出していた夏葉亮子に尋ねた。

「中沢美紀を知っているか？」

「誰よ、それ？」

「そうだろうな……」

鬼龍は、すっかり怯《おび》えている運転席にいた男を見た。

彼が嘘をついているとは思えなかった。

嘘をついて中沢美紀の名を出す必然性がまったくない。

ようやく売れだしたタレント。

鬼龍が亡者祓《ばら》いをした相手だ。

「どうなってるんだろうな……」

彼はつぶやいていた。

## 11

夏葉亮子が警察を呼ぶと言ったので、鬼龍は好きにさせた。

男たちは、じきに目を覚ますはずだ。夏葉亮子は、自分の家まで駆けていった。自宅から警察に電話するつもりなのだ。

五分ほどで、パトカーのサイレンが聞こえてきた。

結局、警官がふたり乗ったパトカーと、近くの交番の警官が自転車で駆けつけた。

三人の男は、手錠を掛けられ、鬼龍と夏葉亮子は事情聴取を受けることになった。

警官が、夏葉亮子と鬼龍から話を聞いて、たちまち、書類を書き上げた。神経質そうな字だった。

夏葉亮子は、鬼龍に送ってもらって玄関のドアの鍵《かぎ》を開けようとしているときに、突然襲われたと警官に話した。

もちろん、それは事実だった。

鬼龍も、よけいなことは言わず、起こったことだけを話した。三人が、アイドルの中沢美紀に頼まれたというようなことは、一切言わなかった。

夏葉亮子は、襲われたことについて心当たりはあるかと尋ねられて、ないとこたえていた。

彼女は、枕崎専務が関係していることを疑っていたが、何も言わなかった。

警察官は、黒いロウのようなインクを取り出して、作った書類に拇印《ぼいん》を押させた。

鬼龍も拇印を押させられた。

警官が引き上げたのは、三十分もたってからだった。

夏葉亮子の両親が心配そうに顔を出していた。

鬼龍は、夏葉亮子に言った。

「あの三人は、専務に雇われて、あんたの口封じに来たのだと思った。だが、三人をけしかけたのは、中沢美紀だという」

「何者なの?」

「テレビ・タレントだ」

「なんでテレビ・タレントなんかが……」

「考えられることはひとつだ。枕崎専務と中沢美紀がつながっている……」

「まさか……」

「おおいに可能性はある。俺は、『小梅屋』に来る前に、依頼を受けて中沢美紀を祓っている」

「亡者だったということ？」

「そうだ」

「専務も中沢美紀というタレントも亡者だという共通点があるということね……」

「そういうことになるな……」

「なんだか、ひどく疲れたわ……」

「そうだろうな。今日はいろいろなことがあった」

「ありすぎたわ……」

亮子は本当に参っているようだった。

一日に二度も襲われたのだ。こうして話ができるのが不思議なくらいだ。

「あんた、タフだな……」

「鬼龍さんがいてくれるからよ。でないと、あたし、きっとパニックを起こしているわ……」

「御祓いが必要だったら、いつでも言ってくれ。明日《あした》、会社に出てくる気があったら、会社で会おう」

「行くわ、きっと……」

鬼龍は、心配げにこちらの様子を覗《のぞ》き見ている亮子の両親に会釈をしてから、亮子に背を向けて歩きだした。

翌日、鬼龍は、営業三課に仮配属された。営業は、地区別に分かれており、互いに競争をしている。

営業課員は、誰もがエネルギッシュで戦闘的な感じだったが、そんなはずはなかった。気が弱い者も、おとなしいタイプの者も配属されているはずだが、どうしても、課の雰囲気に自分を合わせてしまうのだ。

でなければ、業績を上げることができないのだろう。

鬼龍は、三崎《みさき》という営業マンに一日ついて回った。

『小梅屋』くらいになるとセールス・ルートはほぼ確立されているので、本社の営業はそれほどきつい仕事ではなかった。

夕刻に帰社して、鬼龍はすぐに、秘書課に電話してみた。

夏葉亮子は、今日も出社していた。

「会社が終わったら会いましょう。食事でもいかが……?」

「わかった」

「会社のそばじゃないほうがいいわ」

「銀座はどうだ？」

「銀座……。いいわ」

「このあいだのバーで待ち合わせよう」

「わかった」

鬼龍は電話を切った。

三崎という営業マンは、鬼龍に言った。

「おう、デートの打合わせか……？　研修社員は気楽だよな……」

「リトル・プラムに研修に行きますか？」

「よせやい……。俺にレストランの店員をやれってか……」

「かわいいウェートレスもいますよ。バイトの女子高生や女子大生もいるし……」

三崎は、本気で身を乗り出した。

「おい……。リトル・プラムの社員は、いい思いをしてるのか……？」

「さあ……。本人の腕次第じゃないですか？」

「チャンスはあるんだろう？」

「まあね……」

鬼龍は思わせぶりにそういったが、本当はどうなのか知らなかった。彼はリトル・プラムで働いたことなどない。

「俺、本気でリトル・プラムに転属願い出そうかな……」

三崎は言った。彼は三十五歳を過ぎてまだ独身だった。切実にチャンスを求めているのだ。

こういう男が、例えば先日の受付嬢や、総務の飯島清美の餌食《えじき》にならなかったのが不思議だ。

おそらく、いつも社外を飛び回っているので、社内に充満する淫《みだ》らな雰囲気に染まらずに済んだのだろう。

あるいは、彼は真面目に結婚を考えているのかもしれない。そういう人間は、陰の気の影響を受けにくい。

やはり、餌食になりやすいのは、結婚して何年かたって、遊び心がうずいているような男だ。

（この男に、秘書課の女と食事をするなんて言ったら、殺されかねないな……）

鬼龍が待ち合わせ場所のバーに行くと、夏葉亮子はすでに来ていた。マンハッタンを飲んでいる。

「枕崎専務の反応はどうだった」

「今日は一度も部屋に呼ばれなかったわ。専務は、男性の秘書とだけ話をしていた。

秘書室を通ったのも、朝の出社のときだけ。あたしは、定時で帰ってきたけど、専務はまだ会社にいたわ」

「秘書が定時で帰っていいのか……？」

「ケース・バイ・ケースね……。今日は、何も言われなかったので、さっさと引き上げてきたの」

「もう一度訊《き》くが、訴えたりする気はないんだな……」

「状況を考えてよ。あたしは、何があったかわからなかったのよ。まともな証言ができると思う？　裁判に勝てやしないわ。裁判にも負け、仕事も失う……。そんなの御免だわ」

「まあ、そうだな……」

「早く、あなたが、専務を祓《はら》ってくれないかと待っているのよ」

「飯を食いに行こう。そういう約束だ」

二人はバーを出て店を物色した。

鬼龍は、気をつかってフランス料理のレストランに入ろうとした。一流会社の重役秘書にふさわしいのはそういう店だと思ったのだ。

だが、夏葉亮子は、居酒屋を選んだ。大衆的な居酒屋だ。鬼龍は意外に思った。

「お刺し身が食べたい気分なの。あたし気取ったところは好きじゃないし……」

夏葉亮子は言った。

鬼龍は、ようやく亮子が気さくな女であることを理解しはじめていた。

料理を注文すると、鬼龍は言った。

「食事が済んだら、もう一度『シャンパーニュ』に行ってみる」

「なぜ……？」

「昨夜、ホステスが言っていたのを思い出したんだ。枕崎専務のごひいきだった娘が、テレビ・タレントになったって……。その娘が中沢美紀なら、昨日の三人組のことも説明がつく」

「専務が中沢美紀という娘にやらせたというの？」

「やらせたんじゃなくて、中沢美紀に相談したんだ。中沢美紀は、自分の判断で三人組を送り込んだ。おそらく、中沢美紀と専務はそういう関係だ」

「中沢美紀のほうが偉く聞こえるわ」

「そうだと思う。枕崎専務は、中沢美紀の虜《とりこ》となって亡者にされたんだ。そういう場合、中沢美紀のほうが当然格が上になる」

「なんだか、現実離れしてるわ……」

「研修社員が、こうして重役秘書と食事をすることだって、充分現実離れしてるさ」

「あなたって本当に見かけによらないのね……」

「人間は多かれ少なかれそうだ。あんただって、こういう居酒屋が好きなようには見えない」

「昨夜は、三人の男をあっという間にやっつけちゃった」

「むこうが弱かったのさ」

「なのに、こうしているあなたは、まったく冴《さ》えない男に見える」

「傷つくな……」

夏葉亮子は、じっと鬼龍の顔を見つめた。だが、じきにさっと視線をそらしてビールをあおった。

「まあ、そういう仕事なんでしょうからね……」

鬼龍は、幼いころから、独特の体術をやらされていた。山の文化に属する者たちは、皆体術の訓練をする伝統を持っている。

彼があの三人に勝てたのはそのおかげだった。

もともと狩猟民族だから、そうした伝統が残っているのかもしれない。

紀伊半島あたりの山の文化――つまり、出雲人と中国からの渡来人が習合して作りだした文化は、陰陽道を生み、修験道を生み、そして、武士を生んだ。

武士階級というのは、弱小貴族のなかから生まれる。力のない貴族は、自分の子弟を寺の宿坊で修行させた。

宿坊では、僧兵が武術を教えたりしていた。その僧兵の武術のもととなるのは、山の伝統にのっとった体術だったのだ。

鬼龍家の男たちが体術を学ぶのは、じつに当たり前のこととされていた。そして、気を扱う鬼龍の術のもととなるのは、体術なのだ。

武術と気は切っても切れない。

鬼龍の陰陽の技も、体術を基本として練り上げたものだった。

食事を終えると、鬼龍は、『シャンパーニュ』に向かおうとした。

「あたし、また、あのバーで待っててていいかしら……」

夏葉亮子が言った。

「そんな必要はないように思うが……」

「冷たいのね……。あたしは被害者よ。何がどうなっているのか知る権利はあると思うわ」

「家に電話するよ」

「いいえ、あのバーで待っているわ」

鬼龍は、彼女が気さくだが強情であることをすでに悟っている。

「しかたがない……。どのくらいかかるかわからないぞ……」

「かまわないわ。時間をつぶすのは得意なの……」

「どうやって時間をつぶすんだ？」

「ひとりで飲んでいると、必ず知らない男が声をかけてくるの。その誘いをかわしているだけで、二、三時間はもつわ」

「急にあんたが、嫌な女に見えてきた。誘う男がいたら、そいつといっしょに遊びにいけばいい。今夜は、金曜の夜だ。何か聞き出せたら電話で知らせる」

「あなたを待ちたいのよ」

夏葉亮子は、意味ありげに笑った。

「好きにしてくれ……」

鬼龍は八丁目のほうに歩きだした。

（陽の気のせいだな……）

鬼龍は思った。女は、陽の気に弱い。総務課の飯島清美も、鬼龍の陽の気に反応していた。

冴えない恰好《かっこう》をしていても、女は敏感にその魅力を察知してしまうのだった。

『シャンパーニュ』は、適度に混んでいた。

空席が目立つほどではないし、満席でもない。

金曜の夜ということもあるのだろうが、不景気のこのご時世で、これだけの客を集めるクラブはそれほど多くないはずだと鬼龍は思った。

二日連続で現れたということで、従業員は、昨夜よりずっと丁寧に迎えてくれた。上客になる可能性があると思われたのかもしれない。

席には、昨日と同じ春香という名のホステスが付いた。

「いらっしゃい。今夜も来てくれたのね」

春香はうれしそうだった。演技かもしれないが、悪い気はしない。男は、うまく演技してくれることを望んでこういう店にくるのかもしれない。鬼龍はそう思った。

「昨日と同様、仕事がらみさ……」

「枕崎さんのこと？」

「そう。ごひいきにしていた娘がいたといったろう。タレントの……」

「ああ、ルミちゃんのことね……。それがどうかした？」

「その娘、中沢美紀という名前でテレビに出てるんじゃないかと思ってね……」

「さあ、わからないわ」

中沢美紀の名はまだ売れていない。

『スクランブル女学園』という番組は、若い男性向けの番組だし、中沢美紀の出番は、まだまだごく限られているのだ。

カルト的にアイドルを追っ掛けているような少年以外は、名前を知らないのも当然だった。

　春香は言った。

「ルミちゃんは、いつも、ママといっしょに枕崎さんに付いていたから、ママなら知っているかもしれないわ。ママを呼びましょうか？」

「そうだな。頼もうか……」

　春香は、男性従業員を呼んで、何やら耳打ちした。

　男性従業員が去ってほどなくして、和服を着た三十歳前後の女性がやってきた。

「ママよ」

　春香が言った。

　ひととおりの挨拶《あいさつ》が済んで、鬼龍は言った。

「枕崎さんのごひいきだったルミって娘、今、中沢美紀という名前でテレビに出てるんじゃない？」

「あら、枕崎さんのお知り合い？」

「これから商談をしようとしているんだ」

「関係あるお仕事なの？　お名刺をいただきたいわ」

　ママの態度はあくまでも柔軟だったが、警戒しているのは確かだった。

　鬼龍は、名刺を出した。『小梅屋』の名刺だった。

「枕崎さんと同じ会社……？」

「今は、研修のために出向している。関連会社のリトル・プラムという会社の社員なんだ。本社とリトル・プラムの合同のプロジェクトがあってね、そのためには、こちらは、取引先と同じような接待を心掛けなけりゃならない。子会社の辛《つら》いところでね……」

「あら、接待に、ごひいきだった娘のことなんて関係あるのかしら？」

「それは、個人的な興味。俺、中沢美紀の出ている番組、見たことあるんだ」

ママは用心深かったが、別に話して悪いことではないと判断したようだった。

「ええ。あの娘がルミちゃんよ。中沢美紀……。そう、テレビで見たの……？」

やはり、枕崎専務と中沢美紀はつながっていた。


「どうだった……？」

バーで待っていた夏葉亮子が尋ねた。

「思ったとおりだったよ。枕崎専務は、『シャンパーニュ』で中沢美紀と知り合ったんだ。そして、深い関係になった。……つまり、亡者だった中沢美紀の虜になって、亡者にされたわけだ」

「そういうわけ……」

夏葉亮子はうなずいた。

だが、鬼龍は、新たな疑問を感じていた。

亡者は、祓《はら》われると、亡者だったころのことを、まるで夢のなかの出来事のように感じてしまうのだ。

忘れてしまうことも多い。

そして、亡者のころに関係のあった人々とは、関係を絶ちたがるものなのだ。自己防衛本能なのだろうと鬼龍は思っていた。

だが、中沢美紀は枕崎専務のために、三人の男を使って夏葉亮子の口を封じようとした。それは、中沢美紀と枕崎専務の関係がまだ続いていることを意味している。

（祓うのを失敗したのか……）

鬼龍は、不安になってきた。

あのとき、中沢美紀は、祓われたあとの人間としか思えない反応を見せたのだ。失敗したとは思えなかった。

あれが祓われたふりだったとしたら……。

鬼龍は考えた。

（俺の手には負えないほどの大物かもしれない……）

## 12

鬼龍が自宅に帰ったのは、午後十一時過ぎだった。夏葉亮子とはバーで解散ということにした。二日も続けて「御祓い」をしなければならない義理はない。

帰宅すると、留守番電話にメッセージが入っていた。

久保恵理子からだった。

何時でもいいから連絡がほしいということだった。

彼女から連絡をくれと言われて、まんざら悪い気がしていない自分に気づいた。男たちが憧《あこが》れの視線を送る美人秘書に意味ありげな視線を送られるよりも、久保恵理子からの電話のほうがうれしいというのは自分でも不思議だった。

留守番電話のメッセージに彼女の電話番号が入っていたので、その番号にかけた。

久保恵理子本人が出た。

「すみません。わざわざお電話いただいて……」

「かまわない。何だ？」

「先日お話しした前波仲尾の『復原された古事記』なんですけど……」

「何だっけ、それ……」

「古事記はシュメール語で書かれていたという……」

「ああ、不敬罪に当たるかもしれないということで、発刊を自主規制したという本だったな……」

「そのゲラ刷りを見たことがあるという人を見つけたんです。民間の古代史研究家なんですけど……。その人は、大手の出版社から、古事記がシュメール語で読めるという内容の本を出版しているんです」

「ほう……」

「その本は学問的には信憑性《しんぴょうせい》が薄いのですが、鬼龍さんから聞いた話と合わせて考えると興味深いものがあると思います。特に民間伝承という意味で……」

「まあ、修士論文には使えないだろうな……」

「鬼伝説と鉄や銅の金工が関係あるという話もうなずけます。鬼龍さんの家のほかにも、鬼の子孫だという伝承を持つ家がいくつもあるのです。日光の古峯《ふるみね》神社の神官をしている石原家。奈良県吉野郡のやはり神主をやっている柿坂家。奈良県五條《ごじょう》市にある安生寺《あんしょうじ》というお寺の総代をやっている森本家……。これらの神社や寺は何らかの形で金工史に関係していると述べている人もいます」

「当然だろうな……」

「あたし、もう一度、三輪山のあたりに行ってみようと思うんです。足でデータを集めないと……」

「実は、俺も、家に帰ってみようかと思っていたところだ」

「本当ですか？」

「ちょっと、相談したいことがあってな。よかったら、いっしょに行くか？」

「そうしていただければ……」

「明日《あした》の朝、十時に東京駅で待ち合わせよう。『銀の鈴』でいいか？」

「十時に『銀の鈴』ですね？　わかりました」

「じゃあ、明日……。おやすみ」

「おやすみなさい」

鬼龍は、電話を切った。

デートの約束をしたように気分が弾んでいた。

(おかしいな、俺は……。どうかしちまったようだ)

彼は、そう思いながら、旅の支度を始めた。

奈良県桜井市の郊外にある鬼龍の実家に着いたのは、午後三時ごろだった。

鬼龍の家は、小さな神社のように見える。古びた鳥居が立っており、鳥居から短い参道が九十度に折れ曲がり、拝殿がある。

拝殿の奥に奥殿があり、拝殿は、改築されて比較的新しいが、奥殿は、たいへん古い。鬼龍の家は、社務所を兼ねた建物で、その神社のような境内にある。

鬼龍は、久保恵理子を連れて自宅の玄関を開けた。

恵理子は、ジーパンを穿《は》いていた。白いニットのセーターに、デニムのジャケットを着ている。鬼龍は、恵理子にジーパンがよく似合っているのに気づいた。腰に適度のボリュームがあり、脚がすらりと長い。

ラフな恰好《かっこう》だが、その分、普段の地味な恰好より魅力的に見えた。

髪も束ねておらず、自然に垂らしている。それが華やいだ雰囲気を感じさせた。

母親が玄関に出てきた。母親は、恵理子を覚えていた。だが、息子と恵理子がいっしょに現れたことで目を丸くしている。

鬼龍は、あれこれ質問されるまえに説明した。

「彼女はもう一度このあたりを歩いていろいろ調べたいそうだ。俺が帰ってくるついでにいっしょに来てもらったんだ」

母親は恵理子に言った。

「まあ、とりあえず上がって休んでください」

「ありがとうございます」

「親父はどこだ？」

「拝殿におるよ」

「ちょっと行ってくる」

鬼龍が拝殿に向かいかけると、恵理子が言った。

「あ、あたしもご挨拶《あいさつ》に……」

禰宜《ねぎ》の春彦と神主の武賢彦がそろって拝殿にいた。

鬼龍と恵理子がふたりで顔を出すと、父親の春彦が目を丸くした。

「帰っていたのか……」

「今着いたところだ」

武賢彦が鬼龍と恵理子の顔を見比べて言った。

「おまえにしては、珍しく段取りが早かったの……」

「何のことだ？」

「夫婦《めおと》の契りを報告しにきたんじゃないのか？」

「俺は、この人に会うのはこれで三回目だぜ。そんなはずがあるか」

「三回目だろうが、百回目だろうが同じことだ。要は人を見る目じゃよ」

「この人は、このあたりの調査に来ただけだよ。俺は、相談したいことがあったんで、帰ってきた」

「なんだ……。あいかわらず踏ん切りのつかんやつだ……」

「ほっといてくれ」

恵理子は、拝殿の中を見回して言った。

「確か、こちらでは、オオクニヌシノ命を祀《まつ》ってらっしゃるんでしたね……」

「オオクニヌシとコトシロヌシ、そしてナガスネヒコを祀っております」

春彦がこたえた。

「出雲系の神社ということになりますね……」

「鬼の子孫だから閻魔《えんま》でも祀っていると思いましたか？」

春彦は笑った。

「いえ……。そうは思いませんが……」

「閻魔というのは、古代中国の民間信仰が生んだ魔王さまで、もともとは、男女の双子の神様でした。ゾロアスター教では、慈悲深い善い神様です。日本に閻魔さまを紹介したのは、仏教です。仏教では、閻魔さまは地蔵菩薩《ぼさつ》の化身といわれています」

「ゾロアスター教では、閻魔さまが善い神様なんですか？」

「そうですよ」

「鬼道衆というのは、拝火教的な色合いが強いと聞きましたが……」

「そうです。出雲人はもともとそうでした。その習慣を受け継ぐ山人たちも、火を崇《あが》めます。修験道では、激しく護摩を焚《た》きますが、あれも、拝火教的といえるでしょう」

「拝火教的な人々は、鬼や閻魔さまを恐い存在とか悪い存在とか思わないのですね……」

「当然じゃよ」

武賢彦が言った。「鬼の正体は、まつろわぬ民が崇めた神や、その一族そのもののことだ。その子孫たちが鬼を恐れる必要などない。鬼を悪者にしたのは、大和に攻め込んできて王朝を立てた新しい支配者たちだ」

「おそらく、鬼が決定的に悪者にされるようになったのは八世紀の終わりからでしょうね……」

「そう。オオクニヌシノ命や、ナガスネヒコノ命は、いってみれば鬼の元締めじゃからの……」

「そういえば、この三輪山を神体とする大神《おおみわ》神社は、オオクニヌシノ命、オオモノヌシノ命、スクナヒコナノ命の三神をお祀りしていて、神武《じんむ》天皇をお祀りしている橿原《かしはら》神宮《じんぐう》よりも土地の人の信仰を集めているそうですね」

「そう。もともとこのあたりは鬼の土地だからな……。この三輪山あたりから紀州にかけては、古くから鬼と呼ばれた者たちの土地じゃった。紀州の紀は、鬼という字を書くのが本当だといわれるくらいだ」

「三輪山の周辺から陰陽道が生まれ、紀州から修験道が生まれたのもそういう流れがあったのですね……」

「役行者は、鬼を家来にしたといわれているが、なんのことはない、修験道は、鬼と呼ばれていた一族の文化から生まれたんじゃ」

「鬼道衆も陰陽道や修験道の一種と考えていいのですか？」

「陰陽道そのものじゃよ。最も古《いにしえ》の形を正しく残している陰陽道じゃ」

「じいさん……」

　鬼龍浩一が言った。「相談があって帰ってきたんだがな……」

「そう言っておったな……」

「ごめんなさい。あたし、つい……」

「いいんだ。あんた、そのために来たんだからな……」

「あたし、そろそろおいとまします」

「宿は決まっているのかね？」

　春彦が尋ねた。

「いえ……。でも、適当に探します。慣れてますから……」

「せっかくいらしたんだ。うちに泊まるといい。部屋だけはいっぱいあるからな……」

「あ、いえ……」

「遠慮することはない」

浩一が言う。「いつも氏子がやってきて泊まっていくんだ。うちは、慣れている」

「そうなんですか……？」

「御祓《はら》いだ祈禱《きとう》だと、何かと氏子が訪ねてくるんだ」

「すいません。助かります」

久保恵理子は論文のためのデータを集めに出掛けた。

武賢彦は浩一に尋ねた。

「相談というのは何だ？」

「俺、テレビ局の亡者祓いに失敗したのかもしれない……」

「どういうことだ……？」

浩一は、『小梅屋』の枕崎専務と中沢美紀のことを詳しく話した。

話を聞きおわると、春彦はそっと武賢彦の表情をうかがった。武賢彦は、見事な白髪だった。その髪の白さは、神々しさすら感じさせる。

好々爺《こうこうや》に見えるが、眼光は鋭い。

「確かに、中沢美紀という娘を祓ったのだな……？」

「祓ったよ。そのときは、成功したと思った」

「だが、どうやら、その娘は亡者のままでいるというわけだな……？」

「祓われた振りをしていたのかもしれない……。俺はそう思ったんだ」

「おそらくそうだろう。だとしたら、面倒な相手だ……。放っておくと、虜《とりこ》にされ亡者になる者が次々と出る」

「だから、どうしたらいいか相談に来たんだ」

「しっかりやれ」

「しっかりやれって……。それだけ……？」

「それ以上、何を言えばいい？　亡者の祓い方は教えた。あとは、おまえが頭と術を使って祓うだけだ」

「冷たいな……」

「亡者祓いは、おまえの修行なのだ」

「俺が亡者にされて廃人になったり、殺されたりしたらどうする」

「だから言っておるだろう。別の跡継ぎを見つけると……。そうだ、おまえ、今夜、さっきの娘と跡継ぎを作れ。そうすれば、心置きなく戦える」

「ばか言ってんじゃないよ」

「これだけは言っておく」

「何だ？」

「一度にふたりの亡者を相手にするのは、やめろ。危険じゃ。一人の亡者を祓うだけで、陽の気は虚になってしまう」

「せいぜい気をつけるよ」

「それからな……。大切なのは、術を生かす頭だ。いいな」

「頭か……」

父の春彦は言った。

「亡者祓いの修行は、遊びじゃない」

「わかってるさ」

「鬼道衆の大切な役割だ。わかっていればそれでいい」

「テレビ局の依頼主の線から、中沢美紀の電話番号や住所がわからないかな？」

春彦はうなずいた。

「それくらいは手助けしてやってもいいだろう。社務所へ行こう。電話してみる」

「じゃあね、じいさん」

武賢彦は言った。

「浩一、鬼道衆の力を信じろ。疑った瞬間におまえは負けるぞ」

浩一はうなずいた。

「わかった」

春彦は、まず、依頼主だった番組のスポンサーに電話した。

スポンサーは、内部告発をしたテレビ局のディレクターの携帯電話を呼び出し、そのディレクターは、中沢美紀のマネージャーをつかまえた。

土曜日だったが、携帯電話が普及しているおかげで、マスコミや芸能界関係の人間には連絡が取りやすかった。

スポンサーは折り返し、春彦に電話をかけてきて、中沢美紀の電話番号と住所を教えてくれた。

鬼龍浩一が単独で、芸能人、特に、売出し前の少女タレントの住所など調べようと思ったら、それだけで四苦八苦するところだ。

鬼龍浩一は春彦に言った。

「急いで手を打たなければならない。俺はこのまま東京に戻る」

「そのほうがいいな……」

「彼女が帰ってきたら、よろしく伝えておいてくれ」

「急用ができたと言っておく」

鬼龍浩一は、東京に向かった。

中沢美紀は、祐天寺《ゆうてんじ》のマンションに住んでいた。

駅から少しばかり離れた住宅街にあるマンションだった。

ただの亡者なら、訪ねていってさっさと祓ってしまえばいい。だが、中沢美紀は違った。

彼女は、祓われる振りをしたのだ。

まれに、亡者の力を自覚して、積極的にそれを利用しようとする亡者がいる。中沢美紀は、そういうまれな例かもしれなかった。

つぎつぎと周囲の者を虜にしていき、自分の言いなりにさせるのだ。

一度、鬼龍浩一に祓われているので、彼がそうした力を持っていることを、彼女はすでに知っているはずだった。

手の内を知られているというのは不利だった。

彼は、レンタカーを借りて、マンションの近くまでやってきていた。張り込みをすることになったら、車があったほうが便利だ。

（さて、どうしたものかな……）

彼は、マンションを見上げて思案していた。こっそり忍び込むのは難しい。立派なマンションで、防犯体制もしっかりしていそうだった。

忍び込むところを他の住人に見られたりして警察沙汰《ざた》にでもなったら、祓うどころではなくなってしまう。

そんなへまをやったら、武賢彦に何を言われるかわかったものではない。

（それにしても、どうしてこんなマンションにあの小娘が住めるんだ……？）

そのマンションは、港こそ見えないものの、鬼龍浩一のささやかな理想にかなり近かった。

親が資産家で、娘に買い与えたのかもしれない。芸能人で、親が金持ちという例は、意外に多いと聞いたことがある。

金にものをいわせてデビューまでは何とかこぎつける例があるからだそうだが、そういう連中は、たいてい、有名になる前に消えていくらしい。

あるいは、水商売で稼いだのだろうか、と鬼龍浩一は考えた。しかし水商売は、実際には、よほどうまく立ち回らないと財産などできないらしい。

洋服代や交際費に金がかかるし、ヘルプのホステスでは、収入は知れているという。

（中沢美紀は、亡者の力を利用して、稼いだのかもしれない）

それは充分に考えられることだった。

鬼龍浩一が駐車している脇を、一台の車がすり抜けるように通り過ぎて行った。黒塗りのセダンだった。

鬼龍浩一は、はっと反応した。

その車から、濃厚な陰の気を感じたからだった。

（中沢美紀か……？）

だが、そうではなかった。

車はマンションの前に止まった。鬼龍浩一は、姿勢を低くして様子をうかがっていた。

車から降りてきたのは、枕崎専務だった。黒い車は、会社の重役車のようだ。

枕崎専務に続いて車から降りてきた人物を見て、鬼龍浩一は仰天した。

夏葉亮子だった。

彼女は、勤務中の恰好《かっこう》だった。グレーのかっちりしたスーツを着ている。タイトスカートの裾《すそ》はやや短めだった。

彼女は、逆らう様子を見せなかった。

だが、動きは緩慢で、どこか放心したようなところがある。

（何で彼女がここに……？）

鬼龍浩一は混乱したが、ふたりがマンションのなかに消えていくのを見て、あれこれ考えている場合ではないことに気づいた。
会社の車が走り去ると、鬼龍浩一は、車から飛び出した。

# 13

鬼龍は、玄関まで来て立ち尽くした。ドアはオートロックだった。

ドアの脇にインターホンとテンキーがある。部屋に連絡してロックを開けてもらうか暗証番号を打ち込むしかない。

もちろん暗証番号など知らない。

宅配便だとか書留だといって開けてもらう手もあるが、あまり利口ではない。宅配便や郵便の書留が夜に来ることはないので、かえって怪しまれてしまうかもしれない。

頭を使えと、武賢彦は言った。

鬼龍は、どんなビルにも、非常階段があるはずだと思った。非常階段への出入口は各階にあり、すべて鍵《かぎ》がかかっているとは限らない。

うっかり、住人が鍵を掛け忘れている階があるかもしれない。

鬼龍は、日本人の防犯意識の低さに賭《か》けてみることにした。

裏手に回って非常階段を探す。非常階段の周囲は、自転車置場と化していた。

立派な消防法違反だ。

これなら、望みはありそうだと鬼龍は思った。この程度の防災・防犯意識の住民なら、非常階段のドアを閉め忘れていてもおかしくはない。

鬼龍は、階段を駆け登った。鉄板が剝《む》き出しの非常階段だった。普段、住民は、その階段を使っていないに違いない。

下から順番に非常口を試していく。

一階、二階はだめだった。鍵が掛かっている。三階もだめ。

中沢美紀は四階に住んでいるはずだった。マンションは五階建てだった。

最上階までいったが、望みは絶たれた。どの階も非常口は開いていなかった。

鬼龍は、五階の非常口の前にある踊り場に立ち尽くした。

枕崎専務が何を考えているかは、容易に想像がついた。

夏葉亮子を虜にしてしまわなければならないのだ。

わざわざ中沢美紀のマンションに連れてきたのは、ひとりでは失敗しているからだろう。会社では、危険も大きい。

しかも、『小梅屋』の社内は、鬼龍が陽の気を放って、陰の気を中和させている。雰囲気が変わってしまったのに、枕崎は気づいたに違いない。

彼は、自分が虜にされ、亡者となったその部屋に、夏葉亮子を連れ込んだというわけだ。部屋には、中沢美紀がいるはずだ。

枕崎より格が上の亡者だ。強力な陰の気を持っているに違いない。

しかも、中沢美紀は、その陰の気をコントロールする術を身につけているらしい。

夏葉亮子は、陰の気には強いほうなのかもしれない。枕崎の結界のなかで、我に返ったというのは、陰の気の影響を受けにくい体質であることを物語っている。生まれつき、免疫があるのかもしれない。

つまり、もともと、陰の気が強いので、慣れているのだ。だから、彼女は、鬼龍の陽の気に引かれるのだ。

しかし、陰の気に免疫があるからといって、中沢美紀と枕崎のふたりにかかってはひとたまりもない。

ふたりの亡者が、強烈な陰の気のエネルギーで、妄想の世界を作り上げているはずだ。夏葉亮子が亡者にされてしまうのも、時間の問題だ。

枕崎は、夏葉亮子を放って置くわけにはいかなかったのだ。

一刻も猶予はならなかった。

何とか中に入る方法はないかと、鬼龍は考えた。彼は、五階の踊り場から下を見ていた。そこから見回して何か方策はないか考えた。

ふと、彼は、頭上を見上げた。

階段は五階までしかないが、その手すりの上に立てば、屋上まで手が届きそうだった。

だが、手すりは鉄のパイプを組んだものに過ぎず、そこに乗るということは、彼の体を守るものは何もないということになってしまう。

バランスを崩すだけで地面までまっさかさまなのだ。

それは冒したくはない冒険だった。

一階まで降りて、正面のドアを通過する方策を考えたほうがいい。だが、その方法が見つかるという保証はない。

鬼龍は、手すりから身を乗り出して下を見た。それから、また、屋上を見上げた。


夏葉亮子は、奇妙な世界をさまよっていた。

枕崎専務と車のなかにいるうちに、彼女は現実から遠ざかっていった。

今、彼女は、自分がどこにいるのかもわからない状態だった。

意識がないわけではない。彼女は確かに風景を見ていた。だが、その風景が、彼女の意識のなかで意味をなしていないのだ。

ひどい離人症が続いているような状態だ。あるいは、完全に酔っぱらっているような感じだった。

そこは、中沢美紀の部屋で、ソファには中沢美紀が座っている。２ＬＤＫの部屋だった。若い女性がひとりで住むには贅沢《ぜいたく》すぎる部屋だ。

部屋のなかには、少女らしい雰囲気はなかった。どこか毒々しさが感じられる。いたるところに、自分の写真が飾ってあった。プロダクションが用意したキャビネ判の写真が数種類。

雑誌に掲載された水着の写真。

テレビ局が用意した番組宣伝用の写真。

大小のいろいろな写真が飾ってある。

夏葉亮子には、その写真と本人の区別がつかないありさまだった。彼女は、今、立っているのか座っているのか、あるいは、横たわっているのかさえわからない。

枕崎に命令される声が、奇妙にはっきりと聞こえ、その声に逆らうことができなかった。

彼女は、車に乗るまでは、確かに警戒していた。

休日出勤を命じられた瞬間から、枕崎が何か企《たくら》んでいることはわかっていた。しかし、彼女は、断らなかった。

断りたくなかった。

枕崎を突っぱねる自信があったのだ。

枕崎が出勤を求める電話をしてきたのは、朝の九時だった。十一時までに出てくればいいということだった。

突然、得意先を訪ねることになり、それに同行してほしいと、彼は言った。もっともらしい書類を数種類用意するようにと命じた。その書類は、会社に行かなければ用意できないものだった。

夏葉亮子は、すぐに鬼龍に電話をした。だが、鬼龍は留守だった。

会社の重役車で出掛けるということだったので、彼女は、わずかだが警戒を解いた。重役車の運転手がいるところでおかしなことはすまいという油断があったのだ。

重役車の運転手が顔見知りだったことも、彼女を油断させる要因となった。

夏葉亮子と枕崎は、後部座席に並んですわった。いつものことだった。

だが、そのうちにおかしくなってしまった。ひどく疲れているときに、知らないうちに居眠りをしていることがあるが、それと似た気分だった。

ただ、違うのは、眠りに入らずに、現実が夢の世界にすりかわっていった点だった。

彼女は、そのまま、夢の世界から抜け出せなくなっていた。

枕崎と、中沢美紀が抱き合っている。夏葉亮子はその様子を見ていたが、はっきりと認識できずにいた。

現実と夢の狭間《はざま》を漂っている夢遊病者の感覚だった。

枕崎と中沢美紀の周囲に濃密な気配が漂い始める。

中沢美紀は、愛らしい少女の風貌《ふうぼう》をしている。そのふたりが愛し合い始めた。枕崎は、半白の紳士だ。

ふたりは、親子のようにも見える。そのふたりが愛し合い始めた。

互いの体をまさぐり、もどかしげに唇を求め合う。

枕崎は、年には似合わない激しさで中沢美紀を抱きしめ、口づけし、なでさすった。

中沢美紀も年に似合わない激しい反応を見せている。

枕崎の手が、動くたびに、腰がうねる。また、ときおりはげしくのけ反った。

いつしかふたりは、互いの着ている物をむしり取っていた。

まぶしいほどの中沢美紀の裸体が露《あらわ》になる。

その白いむっちりとした裸体が、きわめて淫《みだ》らな動きを繰り返していた。

夏葉亮子は、その様子を眺めていた。しかし、それの意味するところがわからない。

ただ、映像が意識の表面を流れていくだけだった。

枕崎は、中沢美紀の体を貪《むさぼ》るようになめ始めた。ありとあらゆるところに舌を這《は》わせる。

中沢美紀は切なげに、さらに体をくねらせる。特に腰の動きが激しくなった。

中沢美紀は、悲鳴のような声を上げはじめている。

枕崎の攻撃は執拗《しつよう》だった。

ふたりの体が絡み合う。

そうすると、熱気のような陰の気がさらに濃密になっていった。

枕崎と同じことを中沢美紀も始めた。

ふたりは、互いの快楽を交換しあっていた。枕崎は、自分の舌が、そして指が相手の体に呼び起こす快感を自分の快感のように実感していた。

中沢美紀もそうだった。

そして、相手からの刺激をまた自分の快感として受け取っている。

快感が快感を呼び、身体中が燃え上がりそうになっている。

枕崎は、体の芯《しん》が溶けてしまいそうで、腰をがくがくと無意識のうちに振っていた。

快感のなかを泳いでいるようだった。

体の中心に悦楽の源泉があり、そこから、全身に快感の波が伝わっていく。

全身の皮膚で快楽を感じていた。

男がこれほどの快感を味わって無事でいられるはずはなかった。彼は、切実な寂寥《せきりよう》感《かん》を感じた。

全身が痙攣《けいれん》しそうになる。

だが、中沢美紀の体から離れることはできない。

中沢美紀と知り合って初めてこれほどの愉悦を知ったのだった。

それまで、枕崎は、どちらかといえば性には淡白なほうだった。エネルギーを仕事に注ぎ込むのが好きだった。戦略を練り、戦術を駆使してビジネスの世界で勝利することが何よりの楽しみだったのだ。

男の性は、あるときから征服欲に変化する。若いころは、欲情を持て余して女を求める。ある年齢に達すると、特定の女性を征服したいという欲求のために寝るようになる。

だが、枕崎は、そうした征服欲や名誉欲をすべて仕事に注ぎ込んでいたのだ。

中沢美紀を知って、彼の人生は一変した。それは、彼女を『シャンパーニュ』で見た瞬間から変わったのだ。

強い陰の気に誘われたのだが、もちろん、枕崎はそんなことには気づかない。

やがて、彼女と寝て、気が狂いそうになった。経験したことのない快楽を味わったのだ。

それは、彼女が作り上げた結界の中でだけ味わえる快楽だった。

枕崎は、中沢美紀が忘れられなくなった。関係を重ねるうちに、彼はあっけなく虜《とりこ》にされてしまい、亡者となってしまったのだ。

枕崎の体が痙攣を始めたのを見て、中沢美紀が甘い声でささやいた。

「まだよ……、まだ……」

枕崎は、すでに、声を上げていた。少年がいじめられたときに上げるような情けない声だった。

今、彼は年齢からも社会的な立場からも解放されていた。

中沢美紀が彼を招き入れた。

ふつふつと煮えたぎるマグマのなかに捉《とら》えられたような感じだった。

下半身から背筋を通って脳天まで耐えがたい快感が走る。

だが、枕崎は達しなかった。

いや、達した快感がずっと持続している感じだった。

通常の状態だと、男は、この快感に耐えられない。気を失ってしまうはずだ。

安全装置が働くように意識をシャットアウトしてしまうのだ。

でなければ、心臓が危ない。オーバーワークでパンクしてしまうのだ。血圧が上がりすぎて、脳の血管も危険だ。

だが、枕崎はもっていた。亡者の陰の力のせいだ。

その、通常ではとても耐えることのできない快感の中で、枕崎は反撃を開始した。

彼はにわかに変貌《へんぼう》を始めていた。

行動が獣じみてくる。完全に理性をはぎ取った姿だった。

彼は、突き上げ、こね回した。

中沢美紀は、締めつけ、絞り上げた。

互いに求め合うというより、互いに犯し合っているのだった。

彼らの欲望は底無しだった。

どんどん結界のなかの陰の気の密度が濃度を増していく。

そのうちに、本当にふたりは姿を変え始めた。

いっそう淫らな存在になっていく。

中沢美紀の髪が長くなっていく。背中まであった髪は、いまや、尻《しり》に達し、さらに伸びていった。

その髪が生き物のように動き、二人の体に絡まった。そして、その髪がさわさわとはい回って、さらにふたりの快感を高めていく。

中沢美紀の愛らしい顔は、妖艶《ようえん》な感じに変化していた。

その表情ひとつひとつがひどく卑猥《ひわい》な感じだった。

枕崎の顔は、ますます獣じみてくる。鼻に皺《しわ》がより、口が横に大きく裂けたように見える。

年のせいで弛《ゆる》んでいた体が、さらにぐずぐずと崩れていく。その体は、軟体動物のようにいっそう深く中沢美紀の白い体に絡んでいく。

彼らの妄想が、そういう変貌を招いたのだ。

結界の中は、妄想の世界と化していた。現実の世界ではない。

中沢美紀は、夏葉亮子を見た。

どんな女にもできない妖艶な笑みを浮かべた。

彼女は、夏葉亮子に言った。

「あなたもいらっしゃい……」

夏葉亮子は、何も感じていないはずだった。しかし、中沢美紀の声ははっきりと聞こえ、認識できた。

枕崎の声がはっきり聞こえたのと同じだった。

くろぐろとした中沢美紀の瞳《ひとみ》が見えた。

潤んだ瞳。それは、たとえようもなく美しく感じられた。

その美しさだけが、夏葉亮子の心を捉えていた。

夏葉亮子の体に感覚がよみがえった。

ぞくぞくとした快感だった。

体の中心が熱くなってくる。その熱さが下腹部に降りていく。

夏葉亮子は、熱に浮かされたように、中沢美紀を見つめていた。

(かわいいわ……)

彼女はそう思っていた。

一度、そう思ってしまうと、もうたまらなくなった。

(かわいい。食べてしまいたい)

夏葉亮子は、中沢美紀に欲情しているのだった。

もちろん、レズビアンの経験などない。そういう傾向もないし、まったく興味もなかった。

陰の気の影響だった。

陰の気はありとあらゆる官能的欲望を呼び覚ますのだ。

夏葉亮子は、思ったことをうわ言のようにつぶやいていた。

「かわいいわ……。食べてしまいたい」

中沢美紀は、またほほえんだ。

期待に満ちたようなほほえみだった。中沢美紀は言った。

「いらっしゃい。食べてもいいのよ」

ゆっくりと枕崎が顔を夏葉亮子のほうに向けた。

彼の口は横に大きく裂け、目がつり上がっている。舌がひらひらと舞っているように見える。

彼は言った。

「来るんだ。おまえが美紀を食べるのなら、俺がおまえを食べてやる」

夏葉亮子には、その声もはっきり聞こえた。

嫌悪感は感じなかった。

そのとき、夏葉亮子の体に再び、ぞくぞくとした感覚が走った。

「食べてやる」という一言に反応したのだ。

彼女は期待感で一杯になった。

「食べてほしい……」

夏葉亮子はまたつぶやいた。

「来て……」

中沢美紀は言った。「ほら、こんなに楽しいのよ。とてもいいわ……、ほら、こんなに……」

またしても、夏葉亮子の体は期待感で満たされた。

体が火照ってくる。

胸の二つの突起や、下腹部が特に熱い。

ふたりにめちゃくちゃにされたいと彼女は思い始めていた。

しかし、心のどこかに、それに抵抗するものがあるような気がしている。
それは、かすかなひっかかりだった。そのせいで、彼女はためらっていた。
だが、そのためらいも時間の問題だった。

## 14

鬼龍は、強い陰の気を感じた。

中沢美紀の部屋から漏れだしているに違いなかった。

(ついに始めやがったな……)

もう迷ってはいられなかった。

玄関に回ってもなかに入る方法はすぐには見つからない。

鬼龍は決意した。

手すりの上に登り、屋上へよじ登るのだ。屋上に出るドアが閉ざされている場合も考えられるが、そのときは、また何か考えようと思った。

鬼龍は、深呼吸をしてから手すりに足を掛けた。腹に穴があいたような恐怖を感じる。

人間は、特別な訓練をしないかぎり、高いところでは、行動能力がひどく落ちる。

恐怖感のせいだ。

高所恐怖症の人でなくても、高所の恐怖はあるのだ。

壁に手をついて、上体をそろそろと持ち上げていく。ついに、彼は、非常階段の手すりの上に両足で立った。

壁に手をついているものの、ひどく不安定な状態だった。

背後には支えは何もない。

足を滑らせたり、バランスを崩したりしたら、まっさかさまに地面に落ちてしまうのだ。

鬼龍は、手を伸ばした。辛うじて屋上の端に指がかかる程度だ。

フリークライミングの愛好家は、指さえかかれば、自分の体を持ち上げられるという。だが、鬼龍にその自信はなかった。

試しに指に力を込めてみた。

だめだ。とても体は持ち上がらない。

陰の気はどんどん強くなっていく。

鬼龍はあせった。

（くそっ。何とかならないのか……）

彼は、その状態のまま周囲を見回した。つとめて冷静に考えようとしたのだ。

彼は、角度が悪いことに気づいた。手すりは壁から九十度の角度で伸びているので、鬼龍は体をひねった状態だった。

かえってぶら下がってしまったほうが力が入りそうだった。

だが、ぶら下がるということは、足場が何もなくなることを意味する。最上階である五階の踊り場の上には屋根があり、その屋根を避けるため手すりから身を乗り出す形になっている。

危険な賭《かけ》だった。

だが、今は覚悟を決めるときだった。

彼は、幼いころから、体術を習ってきた。気を扱うための基本なのだが、その体術の中には、武術とともに、軽身の術も含まれていたのだ。

実際に、木の枝から木の枝に飛び移ったこともある。その体術を信じることにした。

(自衛隊のレンジャーとまではいかないが、素人よりはましだろう)

鬼龍は、決断した。

じりじりと、足を後ろにずらし、爪先《つまさき》で伸び上がるようにした。おかげで、屋上の端に指全体がかかるようになった。

これで、かなり力が込められる状態になった。

鬼龍は、足を手すりから外し、完全にぶら下がった。

握力があるうちになんとか体を持ち上げようとした。肩や肘《ひじ》の関節が軋《きし》む感じがした。上半身の筋肉が悲鳴を上げている。なんとか、肘を曲げられた。

そこからなら、片足を横に上げて、屋上の端に掛けられそうだった。

やってみるとうまくいった。体がさらに持ち上がり、屋上が見えた。

すぐ前に柵《さく》があった。鉄のパイプでできた柵だった。恰好《かっこう》の手掛かりだった。

慎重に片手を進めた。

肘が屋上の上にのったとき、バランスが崩れそうになった。

鬼龍は、捨て身で手を伸ばした。

柵に届いた。彼は、片手でぶら下がっていた。

しかし、今や、しっかりと柵を握っている。状況はさっきよりはかなりよかった。つかまるものがあるのとないのとではそれくらいに違うのだ。

彼は落ち着いて、もう片方の手を進め、両手で柵のパイプをつかんだ。

それから足をあらためて掛けて、体を持ち上げた。何とか全身が屋上に乗った。それから、慎重に柵を乗り越えた。

鬼龍は屋上に降り立った。

その瞬間に全身から汗が流れ落ちた。

（もう、こんな思いは二度とごめんだ……）

彼は、心のなかでぶつぶつ言い、ドアを探した。

給水塔のそばに、ドアがあった。

彼は駆け寄ってドアのノブをひねった。

開かない！

屋上のドアにも鍵《かぎ》がかかっていたのだ。

「くそっ！」

彼は声に出して毒づいていた。

彼は、屋上の柵から身を乗り出して下の様子をうかがった。

中沢美紀の部屋がどこかはすぐにわかった。強い陰の気が漏れだしているからだった。気を察知できる鬼龍には、陽炎《かげろう》が立っているように見える。

中沢美紀の部屋の上の部屋には明かりが点《つ》いていない。すでに寝ているのか出掛けているのかのどちらかだ。各階にはベランダが突き出している。

屋上の出入口に鍵がかかっていることで絶望した鬼龍だったが、なんとか気を取り直そうとした。

ベランダに降りるのは不可能ではない気がした。

もちろん、危険だった。しかし、もうそれしか手がない。

彼は、周囲を見回した。

屋上には物干場があり、彼はそこで探しているものを見つけた。

ビニール製の物干し用ロープだった。彼はそれを取り外し、中沢美紀の部屋のベランダを真下に見おろす位置にやってきた。

ロープを二重にし、それを柵の太いパイプに掛ける。輪を作るように縛り、重ねて持つ。ロープを四重にして持ったことになる。

鬼龍は、柵を乗り越え、ロープにぶら下がった。すぐに、足がベランダの手すりに届いた。

体を振るようにしてベランダのなかへ降りた。ロープを手繰って結び目をほどく。柵にロープをくりつけずに輪を作るように縛ったのは、こうして下でロープを回収するためだ。

再び、ベランダで同じことをした。

幸い、五階の部屋には人気《ひとけ》がなかった。出掛けているらしい。

もし、人がいても同じことをやるつもりだった。見つかったときは見つかったときだ。

ベランダからベランダへ降りるのは比較的簡単だった。

鬼龍は物音を立てないように気をつけたが、それは、他の部屋の住人への警戒だった。亡者たちは、鬼龍の陽の気にすでに気がついているはずだった。

ベランダは、二つの部屋にまたがっているようだった。どちらのガラス戸にもカーテンがかかっている。

ガラス戸を叩《たた》き壊してでも侵入するつもりだった。騒ぎになってもいい。

とにかく、今は、夏葉亮子を救出することだ。

鬼龍は、ガラス戸に手を掛けた。意外にもガラス戸に鍵はかかっていなかった。今日一日分のツキは、この瞬間のためにセーブされていたのかもしれないと鬼龍は思った。

彼は、一気に、ガラス戸を引き開け、カーテンをめくった。

夏葉亮子は、抵抗の限界にきていた。

二匹の淫獣《いんじゅう》と化した枕崎と中沢美紀がしきりに誘っている。強制されたのなら、抵抗のしようもあっただろう。だが、彼らは、快楽の世界に誘っているのだ。

確かに枕崎と中沢美紀は獣じみていたが、ふたりには、あきらかな差異があった。

変化《へんげ》のあと、枕崎は、ぐずぐずと崩れていくような感じだったが、美紀はますます美しくなっていったのだ。

妖《あや》しい美しさだ。

ついに、夏葉亮子は、一歩を踏み出した。むうっとする陰の気に包まれる。それだけで、全身の性感帯が刺激される感じがした。

一歩踏み出してしまってからは、近づくのに何の抵抗もなかった。

彼女は、抱きすくめられた。

どちらに抱かれたのかはわからない。今や、枕崎と中沢美紀は、二匹の蛇のように絡み合っており、ひとつの淫《みだ》らな存在のように感じられた。

抱かれた瞬間に、夏葉亮子は、体の中心の熱の固まりが大きくなっていくのを感じた。

無数の手が身体中をはい回るような気がした。性感が一気に高まっていく。

彼女は、たまらず、体をくねくねと動かしていた。無意識の動きだった。

そして、声を上げていた。

快感と期待感が一杯になり、体からあふれてしまいそうだった。

彼女は、もっと触ってほしかった。どこもかしこも触ってほしいと思っていた。

次第に性感が高まっていき、ただ、体の表面を撫《な》でさすられているだけなのに達してしまいそうだった。

達してしまったら、もう後にはもどれなくなる。

ふと、彼女はそう思った。理由はないが、そう感じていた。それは、消え残っているかすかな意識の声だった。

だが、体はすでに達しようとしていた。

そのとき、ベランダのほうで、物音がした。その瞬間、爽《さわ》やかな風が吹き込んで来たように感じられた。

その風は、一瞬にして、夏葉亮子の昂《たか》まりを冷ました。

達する寸前に性感を冷まされたりしたら、ひどく苛立《いらだ》つものだが、この瞬間はそうではなかった。

夏葉亮子は、爽快《そうかい》な気分だった。

体が自由になったようだった。今まで感じていた異常な性感が疎ましく感じられた。

夏葉亮子は、ベランダのほうを見た。

彼女は、思わずつぶやいていた。

「鬼龍さん……」

鬼龍浩一は言った。

「どうやら、間に合ったようだな……」

鬼龍浩一は、部屋に入ったとたん、陰の気に圧倒されそうになった。

その陰の気の中心にいるふたりの亡者を見て、舌打ちした。

武賢彦が言ったことを思い出したのだ。

「一度にふたりの亡者を相手にするな」

武賢彦はそう言ったのだ。

(なりゆきでこうなったんだ。しょうがないじゃないか……)

鬼龍は、自分で自分に言い訳をしていた。

ふたりの亡者は交わったまま、鬼龍のほうを見ていた。

ふたりとも動くのをやめようとしない。

そこにいるのは、確かに枕崎と中沢美紀だが、同時に彼らではなかった。

夢のなかで、犬や猫が出てきて、それが知人であると認識できるときの奇妙な感覚に似ていた。

鬼龍は、何度か経験しているが、そのたびに気分の悪いものだと思う。悪夢の感覚なのだ。

妄想の世界で変貌《へんぼう》した亡者は、その原型が認識できるからよけいに怪異だった。

中沢美紀が笑った。

いまや、中沢美紀と枕崎ふたりにまるで蜘蛛《くも》の糸のように絡まっている彼女の髪が、その瞬間にざわざわと動いた。

異常なくらいに美しいほほえみだった。

「やはり、来たのね……」

美紀は言った。

その瞬間に、鬼龍は、これが彼女の計画の一部だと悟った。

美紀は、鬼龍がやってくることまでを計画に入れていたのだ。

彼女はさらに言った。

「最初に会ったときに、わかったわ……」

鬼龍が、特別な力を持っていることを、彼女は知ったのだ。枕崎から話を聞いたときに、まず美紀が思い浮かべたのが、鬼龍だったに違いない。

美紀は罠《わな》を張ったのだ。

「それはどうも……」

鬼龍は言った。「俺は、あのときしくじった。だが、二度失敗はしない」

美紀はうれしそうに笑っている。目をそらせないくらいに煽情的《せんじょうてき》な笑いだ。

夏葉亮子は、鬼龍の陽の気で陰の気を祓《はら》われ、正気に戻っていた。

彼女は、そのとき、鬼龍も変身していくのを見た。

容貌《ようぼう》そのものは変わっていないはずだった。だが、印象が変わっていく。おとなしくまとめられていた髪がぞわぞわと逆立っていく。

眼光が鋭くなり、獲物を狙う肉食獣を思わせた。体つきまで変化したように感じられた。にわかに逞《たくま》しくなったのだ。

逆立った髪は、頭の両側に突き立ち、まるで鬼の角のように見えた。

彼は、まるで自分に言い聞かせるようにいった。

「地獄の亡者を統率するのは鬼だということをわからせてやる……」

枕崎が体を引いて交わりを解いた。

彼は、そのまま変貌を続けた。全身に獣毛が生えはじめた。そのごわごわとした毛がうごめいている。

今や、はっきりと口が横に裂けていた。その口から長く伸びた二本の牙《きば》が見えていた。

枕崎は、自分の妄想のなかで、そういうイメージを持ったのだ。戦う用意だ。

今、部屋のなかは、亡者の妄想の世界なので、彼は思うがままに変貌することができる。

枕崎だった怪物は両手を高々と差し上げて鬼龍を威嚇した。

鬼龍は、言った。

「こいよ。相手してやるぜ……」

全身をうごめく毛に覆われた怪物は、鬼龍に向かって突進した。

鬼龍は、ぎりぎりまで引きつけた。

怪物が両手を伸ばす。

鬼龍は、その右腕をすり抜けるように転身した。

怪物の右脇に立つ。そのとき、右腕を閂《かんぬき》に決めていた。

意識の中だけの変貌のはずだが、亡者は、その変貌に見合った物理的な力を発揮する。鬼龍はそのことを経験上知っていた。

今の枕崎は、プロレスラー並の体格となっている。パワーもプロレスラー並のはずだった。

鬼龍は、力でぶつかっては勝ち目がないと見て、徹底的に関節技や、相手の力を利用した崩し技で戦うことに決めていた。

閂に決めたままで、鬼龍は、怪物を投げた。怪物は前のめりに倒れ、ソファに突っ込んだ。

ソファのおかげでダメージはなかった。

すぐさま起き上がり、怒りの咆哮《ほうこう》を発する。

鬼龍は言った。

「その長い牙で、俺の陽の気を食らおうというのだろう。さ、こいよ」

怪物は再び鬼龍に突進する。

今度も鬼龍は、ぎりぎりまで引きつけた。すり抜けざまに、足を払う。

怪物は、また前のめりになる。今度は、頭を壁にぶつけた。

その衝撃で一瞬動きを止めた怪物の腕を背中のほうに決めた。

手首、肘《ひじ》、肩を同時に決めている。

それで、少しはおとなしくなるはずだった。怪物に変貌しているとはいえ、もともと人間なのだ。

腕を決められた痛みは同じなはずだった。だが、怪物はもがいて鬼龍の手から逃れようとした。

ごくっとくぐもった不気味な音がして肩が外れた。それでも、怪物は反撃に出た。

自由なほうの手で、鬼龍を袈裟《けさ》掛《が》けに殴りつける。

鬼龍は、さっとあとずさったが、胸のあたりをざっくりと切られていた。

怪物はいまや爪がおそろしく伸びていた。ナイフのような爪だ。

「エンドルフィンか……」

鬼龍はつぶやいた。

エンドルフィンは脳内で分泌される麻薬的な物質だ。苦痛が極限まで達したときに分泌されるといわれている。

陰の気で、異常な快感を得られるのは、エンドルフィンが作用しているのだ。その濃度が、並の亡者よりずっと高いようだ。

それだけ、中沢美紀が与えた快感が大きかったことを物語っている。

異常に高いエンドルフィン濃度のため、怪物は痛みをあまり感じていない。

「やっかいだな……」

鬼龍は思った。

彼は、枕崎相手に陽の気を使いたくなかった。枕崎ほどの亡者を祓うには、かなりの陽の気を放射しなければならない。

放射したあと、鬼龍の体内は虚になり、ひどい虚脱感と疲労が襲ってくる。その後に、もう一度陽の気を放射する自信はなかった。

だから、枕崎は、肉弾戦で倒そうと思っていたのだ。

中沢美紀に対抗するには、陽の気が必要だ。物理的には、中沢美紀のほうが弱いだろうが、精神的には強いはずだ。彼女は何を仕掛けてくるかわからない。そういう場合ほど気が必要だ。物理的な破壊力で攻めてくる相手は、やはり、物理的な力に弱いものなのだ。

枕崎だった怪物がまたしても突進してきた。痛みを感じていない相手に関節技は通用しない。

鬼龍は迷った。その迷いが、彼の動きを一瞬遅らせた。

怪物の右肩は完全に外れて、腕がぶらぶらしていたが、左手はプロレスラー並のパワーを維持している。

鬼龍は、その左手で首をつかまれてしまった。

（やばい！）

そう思ったときには、もうソファに押し倒されていた。しっかり首を押さえられている。

怪物は、がっと大きく口を開けた。牙を剝《む》きだす。

その牙が鬼龍の頸動脈《けいどうみゃく》に近づいてくる。

（野郎！　俺の血とともに陽の気を食らうつもりだな……）

すさまじい力だった。鬼龍は、両手で怪物の顔をつかんで押し戻そうとした。

だが、それは、無駄な努力に見えた。

ついに、怪物の牙が鬼龍の頸動脈に触れた。

## 15

怪物の牙が、ずぷずぷと鬼龍の首筋に突き刺さっていった。
次の瞬間、鮮血がほとばしった。
勢いよく飛び散った血が、雨のように降り注ぎ、あたりを真っ赤に染めた。
夏葉亮子は悲鳴を上げていた。悲鳴を上げるしかなす術《すべ》はなかった。
中沢美紀は、その血の雨を見て、目を輝かせて笑みを洩《も》らした。
彼女は、血を見てさらに欲情しているようだった。
鬼龍は死んでしまったのだと夏葉亮子は思った。
だが、そうではなかった。
首に食いつかれながらも、鬼龍は言った。
「そんなに、俺の陽の気が食らいたいのなら、好きなだけ食らうがいい」
鬼龍の両手が怪物の頭をはさんでいた。

その両手が閃光《せんこう》を発したように夏葉亮子には見えた。

怪物は、鬼龍の首から牙を引き抜き、のけ反った。

鬼龍の首からは、ポンプで押し出すように断続的に血が噴き出している。それでも、鬼龍は、平気で起き上がった。

信じがたい光景だった。夏葉亮子は、気を失いそうになった。だが、その光景から目を放せなかった。

怪物は、少しばかり小さくなったようだった。頭を押さえて苦悶《くもん》している。

「エンドルフィンも効果がないだろう」

鬼龍は、言うと、腰を落として構えた。流れるように体が前方に移動する。その移動のエネルギーを全て右の拳《こぶし》に込めた。

渾身《こんしん》の正拳逆突きだった。

その拳が、怪物の胸の中央に決まる。

怪物の皮膚を貫き、さらに骨を砕き、拳が怪物の胸深く埋まった。

その瞬間に、鬼龍は、鋭い気合を発していた。

怪物の体がまた閃光に包まれた。

夏葉亮子は思わず目を閉じていた。

彼女は、地震の縦揺れのような感覚で、はっと目を開けた。

枕崎専務が倒れていた。

今まで鬼龍と戦っていた怪物ではない。人間にもどった枕崎だった。

素っ裸だったので、ひどく惨めな恰好《かっこう》に見えた。夏葉亮子は、目を背けた。

彼女は、鬼龍を見た。

鬼龍は、首から血を流していなかった。傷も残っていない。胸の傷もなかった。

夏葉亮子はわけがわからなくなり、呆然《ぼうぜん》とした表情でつぶやいた。

「どうなってるの……？」

鬼龍は、中沢美紀のほうを見て彼女を牽制《けんせい》しながら、夏葉亮子の問いにこたえた。

「亡者のまやかしさ……」

「まやかし……？」

「ああ……。妄想の世界に取り込み、精神的なショックを与えて、その隙に陽の気を食らう」

「じゃあ、食いつかれても平気だったの？」

「冗談じゃない。あの状態で気を食われたら廃人になっちまう。悪くすれば、本当に死ぬ。できれば、陽の気を使わずに片づけたかったんだが……。使っちまった……」

鬼龍は、中沢美紀に言った。「さて、今度はあんたの番だな……」

室内の陰の気は、さきほどに比べるとずっと薄まっていた。

中沢美紀は、枕崎が倒されても、まったく気にしていないようだった。陰の気が薄まったせいか、中沢美紀は、もとの少女の容貌《ようぼう》にもどりつつあった。髪も背中までの長さに戻っている。

彼女は、白く魅力的な裸体を晒《さら》してソファに腰掛けていた。

「余裕の表情じゃないか……？」

鬼龍は言った。

中沢美紀はほほえんでいる。少女と妖艶《ようえん》な女が同居した表情だ。

彼女は言った。

「あなたのような人には初めて会ったわ……」

「そうだろうな……」

「どうして、そんな力を持っているの？」

それは無邪気な問いに聞こえた。裸の美少女が無邪気な質問をしているという事実がなぜだか不気味な印象を与える。

「さあな。心掛けの違いかな……」

「でも……」

中沢美紀は、いっそう無邪気な感じになった。「その力は、もう残ってはいないわね……」

鬼龍は言った。

「どうかな……？」

中沢美紀は見抜いていた。

鬼龍は、陽の気を放ったあとの激しい虚脱感に襲われつつあった。

立っているのもつらい。

精神力だけで立っていた。中沢美紀が座っているソファに身を投げ出したい。彼は、ふとそう感じた。

「あら……」

中沢美紀が言った。「いらっしゃいよ。隣に……。このソファ、とても座り心地がいいのよ」

座り心地がいいのよ……。

座り心地がいいのよ……。

座り心地がいいのよ……。

その言葉が、鬼龍の頭の中で繰り返されていた。

「ああ……。おまえが言うとおり、座り心地がよさそうだ……」

「いらっしゃいよ。もう、疲れちゃったんでしょ……」

「そう。疲れたな……。くたくただ……」

「あたしが膝枕《ひざまくら》をしてあげるわ」

中沢美紀は、自分のふとももを軽くたたいた。

白く、すべすべしていて、柔らかそうなふとももだ。

鬼龍は、そのふとももを見つめた。目がそこに釘付《くぎづ》けになっているようだった。

「それとも、この胸に抱いてあげましょうか？」

「胸……？」

中沢美紀は、自分の乳房を抱くような仕草をした。

真っ白で豊かな胸のふくらみ。頂点には、桜色の小さな突起が見えている。

鬼龍はつぶやいた。

「柔らかそうだな……」

「さ、あたしが眠らせてあげる」

中沢美紀は、ソファに座ったまま両手を差し出した。

中沢美紀は、鬼龍の心の一瞬の隙を衝《つ》いてきたのだ。

鬼龍の逆立っていた髪が、垂れ下がってきていた。

彼は、ふらふらと中沢美紀が座っているソファに近づいた。

「ちょっと、どうしたのよ……」

夏葉亮子が言った。「しっかりしてよ。何やってるのよ」

だが、鬼龍は夏葉亮子の声には反応しなかった。夏葉亮子の声が聞こえていないような態度だった。

鬼龍が一歩一歩ソファに近づいていく。

ついに、彼は中沢美紀の広げた腕の中に入っていった。

中沢美紀は、腕だけではなく、ゆっくりと脚を開いていった。少女のすべてが鬼龍の目に晒された。

「さ、いらっしゃい……」

鬼龍は崩れ落ちた。

中沢美紀の腹に顔を埋《うず》め、ウエストに腕を回した。

中沢美紀は、両方のふとももで鬼龍の胴体をやさしくはさみ、両手で彼の頭を撫《な》でた。

「鬼龍さん。しっかりしてよ。その亡者の術にはまっているのよ！」

夏葉亮子は声を張り上げた。

「そう……？」

中沢美紀はやさしく言った。「鬼龍さんていうの？　鬼龍さん、ゆっくりここで休んでね……。元気になったら、あたしと楽しいことをしましょう」

鬼龍は、中沢美紀の体を両手でしっかり抱いたまま、ゆっくりと顔を上に向かって這《は》わせていった。

顔が乳房の間にくる。柔らかく量感のたっぷりした乳房を鬼龍の顔がかきわける。

「鬼龍さん!」

夏葉亮子が必死で呼びかける。

「ちゃんと聞こえてるよ」

鬼龍が顔を上げて言った。

中沢美紀が笑顔を消し去った。

瞬時のうちに、彼女の体に緊張が走った。だが、鬼龍の腕は、しっかりと彼女を捉《とら》えていた。

「知ってるか? 男と女は、こうして向かい合って抱き合っているときが、一番気が交流するんだ」

中沢美紀の顔から余裕の表情が完全に消え去った。彼女は、鬼龍の手から逃れようともがいた。

しかし、鬼龍はしっかりと抱いて放さなかった。

「まさか……。あなたには、もうそんな力は残っていないはずよ……」

「鬼道衆をなめちゃいけない……」

鬼龍は、中沢美紀を右手でつかまえたまま、左手を後方に伸ばした。

左手は、夏葉亮子のほうに向けている。

鬼龍が言った。

「手を貸してくれ」

「え……？」

「あんたの力が必要なんだ」

「どうすればいいの？」

「俺の手を右手で握ってくれ」

夏葉亮子は、わけがわからなかったが、すぐさま言われたとおりにした。

「こう？」

「オーケイだ」

中沢美紀が激しくもがいた。

だが、鬼龍は、死んでも放す気はなかった。鬼龍は、その状態で小周天法を始めた。正中線に気を巡らせる。

さらに大周天法を始める。十二経絡に気を巡らせるのだ。鬼龍の体内で徐々に気が増幅されていった。

再び、髪が逆立っていく。

「やめて……。何をするの……」

中沢美紀は、もがきながら言った。「あたしと楽しいことをしたくないの？」

「あんたが人間にもどったら、喜んで相手をしてやるよ」

「あなたにあたしを邪魔する権利はないわ。あたしは、有名になるの。誰にも邪魔させないわ。有名になるためだったら、あたし、なんでもやるわ……」

鬼龍は、大きく息を吸って、吐いた。そして、一言つぶやくように言った。

「悪いが、祓《はら》わせてもらう……」

その瞬間、部屋全体が眩《まばゆ》く光った。

夏葉亮子が悲鳴を上げた。彼女は、鬼龍と手を結んだまま床に崩れ落ちた。気を失ったのだ。

中沢美紀も悲鳴を上げていた。

こちらの悲鳴は絶叫だった。彼女の体のなかで、陰の気と陽の気がぶつかり、激しくスパークした。

脳髄を焼き尽くすような衝撃だ。

中沢美紀の体は、一度大きくのけ反った。感電したような動きだった。

彼女の悲鳴は長くつづいた。やがて、その悲鳴が途切れたとき、彼女の体から力が抜けた。

ぐったりとなる。

中沢美紀も意識を失っていた。

部屋の眩い光はやがて消え、部屋のなかは闇に閉ざされた。

ただ明かりが消えたというだけの闇ではない。光をまったく受け付けない濃密な闇だった。

やがて、その闇に一筋の光が走る。その光は渦を巻いた。巴《ともえ》の形を描いていた光が、部屋の光景を照らし出す。

いつしか、中沢美紀の部屋は、もとの光景にもどっていた。

ソファがあり、大小さまざまな中沢美紀の写真が飾ってある。2LDKのこざっぱりとした部屋だ。鬼龍の首から噴き出したはずの血は、一滴も落ちていない。すべて消え去ったのだ。

その部屋に四人の人間が倒れている。

そのうちのふたりは全裸だ。枕崎も中沢美紀も本来の姿だった。枕崎は、年齢のせいでやや体形が崩れている中年男だ。

中沢美紀は、新鮮で輝くような体をした少女だ。

誰も動かなかった。

最初に動きだしたのは鬼龍だった。彼は、意識を失っていたわけではなかった。動く力が残っていなかったのだ。

彼は、ひどく苦労をして起き上がった。中沢美紀の体から自分の顔を引き剝《は》がすような感じだった。

したたかにパンチを食らってダウンしたボクサーのように、彼はようやく立ち上がった。

部屋のなかをゆっくりと見回す。

最後に中沢美紀を見た。

彼は今度は慎重だった。中沢美紀の両手に触れ、脈を取る。体調を調べているわけではない。気の強弱を計っているのだ。

さらに、眉間《みけん》にてのひらをかざして気をさぐった。

「問題なしだ……」

鬼龍は言った。「これでまた失敗したら、もう俺の手には負えないな……」

鬼龍は、のろのろと夏葉亮子に近づいた。彼女を抱き起こす。

「おい、目を覚ましてくれ」

軽くゆすると、彼女は目を開けた。一瞬ぽかんとした表情で鬼龍を見る。その無防備な表情が愛らしかった。

「あたし、どうしたの……？」

「俺だけの陽の気じゃとても足りなかったんでな……。あんたの陽の気を使わせてもらった」

「あたしの陽の気……？」

「女は、黙っていても自然界からエネルギーを吸収できるから、じきに回復する。俺のほうが問題だ。もう、すっからかんだよ」

鬼龍は、しゃべるのも辛《つら》そうだった。

「片づいたの？」

「終わった」

「よかった……」

夏葉亮子は、鬼龍に抱きついた。鬼龍も彼女を抱き返した。

鬼龍は、彼女に戦友としての共感を感じていた。

「さて……。さっさと引き上げることにするか……」

「このふたりは大丈夫なの？」

「気がついたら、きっとひどく照れくさい思いをするだろうな……」

「起こったことを覚えていないの？」

「妄想の世界のことは、祓われたあとは忘れちまうもんなんだ。亡者だったときの記憶は、まるで夢だったような気分になる。このふたりは、年の離れたカップルでしかない」

「別れるかもしれないわね……」

「そうだな……。互いに冷めた気分になるだろうからな……」

「このふたりがまたすぐ亡者になることはないの？」

「そんなんだったら、俺、この仕事やめるよ」

鬼龍と夏葉亮子は、中沢美紀の部屋を後にした。

ふたりともひどく疲れていた。

特に、鬼龍のほうは、倒れる寸前だった。陽の気を極限まで使ってしまったのだ。

これほどぎりぎりの戦いをしたことはなかった。

一刻も早くベッドにもぐり込みたかった。帰ろうとしたら、夏葉亮子が付いてくるという。

「そんな状態のあなたをひとりにはできないわ……」

「あんただって疲れているはずだ。それに、ひとりのほうがありがたいことだってあるんだ」

「いいから、言うとおりにして」

鬼龍はもう、逆らう気力もなかった。

部屋まで行く階段を休み休み昇るありさまだった。

部屋にたどり着くと、鬼龍は、服も脱がずにベッドに倒れた。なんとか夏葉亮子が上着とズボンだけは脱がせた。

鬼龍はたちまち、眠りに落ちた。

となりに夏葉亮子が滑り込んでくる気配を夢うつつの状態で感じた。

夏葉亮子もぐっすりと眠り込んでいた。


鬼龍は、熟睡して、夜明けに目を覚ました。

幸い晴れており、昇る太陽を見ることができた。鬼龍は、左手をかざしてたっぷり太陽から陽の気を吸収した。

その陽の気を、空っぽになっていた、上中下の丹田に蓄積していく。

みるみる気力が充実してきた。

彼は、改めてベッドを見た。夏葉亮子が眠っていた。

彼女は、鬼龍の気配に気づいて目を覚まし、言った。

「元気になった？」

「ああ……。あんたは、もう少し眠るといい」

「来て……」

「おいおい……」

「あたしにも、元気を分けて。昨日、あたしから気を奪ったんだから、それを返してよ……」

困ったことに、陽の気が充実している。

夏葉亮子は、壁際に体をずらして、鬼龍の場所をあけた。

「そういわれると、責任を感じる……」

鬼龍は、ベッドに戻った。

鬼龍と夏葉亮子は、昼過ぎまでベッドにいた。けだるい休日の昼下がりを過ごしていると、電話が鳴った。

鬼龍は、ベッドから這《は》いだして電話に出た。

「鬼龍さん。久保です」

「ああ、どうも。ひとりで先に帰って済まなかった」

「いえ、いいんです。どうせ、ひとりで行くつもりでしたから……。御実家に泊めていただいてありがとうございました」

「いいんだ。じいさんは何かよけいなことを言わなかったか？」

「いえ、別に……」

「そうか……。今、どこだ……？」

「奈良です。今日一日歩き回って帰るつもりです。明日《あした》は、学校があるので……。あの……、お礼を言わなくちゃと思って電話したんです」

「わざわざすまなかったな……」

「昨日、今日と歩き回った成果を持って、またお邪魔したいんですが、かまいませんか……？」

「もちろんだ」

「ありがとうございます。じゃあ……」

電話が切れた。

ベッドのなかの夏葉亮子が面白そうにこちらを見ていた。

「彼女？」

「そんなんじゃないよ」

「どうかしらね。ずいぶん優しい声でしゃべっていたわ」

「そんなことはない……」

夏葉亮子は、かすかに笑った。その笑いにかすかだが、嫉妬《しっと》が含まれていた。

（たまには、こういう面倒事も悪くはないか……）

鬼龍は、ため息をつきながら、そう心のなかでつぶやいていた。

# 16

「出向の取消……?」

人事課長の佐々木は、回ってきた書類を見て唸《うな》っていた。

彼は面白くなかった。突然、関連会社から鬼龍が出向としてやってきた。それが、
突然、また取消になったのだ。

彼は、この苛立《いらだ》ちをまた鬼龍にぶつけようとしていた。

鬼龍は、人事課に呼ばれてやってきた。

佐々木課長は言った。

「どうなってるんだ、君は……?」

「は……?」

「出向が取消だそうだ。たった四日しか本社にいなかった」

「私は知りません。上のほうで決めたことでしょう。私こそいい迷惑です」

「まったく……」

佐々木は、どうやって鬼龍をいびるか考えているようだった。彼の小言を聞く気などなかったので、鬼龍は言った。

「私がいなくなって、課長は好都合なのではないですか？」

「何だって？」

鬼龍は、佐々木に近づき、小声で言った。

「あの日、受付控室で何があったか、知っているのは私だけなんですよ」

佐々木の顔色が変わった。

とたんに彼は落ち着かなくなった。

「いったい、何があったというんだ……」

彼は不安げに言った。

「それは、ご存じないほうがいいでしょう。彼女も忘れているはずです。私も決して口外しません」

鬼龍は、さっと佐々木から離れた。彼は一礼すると言った。「どうも、お世話になりました」

彼は、背を向けて歩き去った。

「あ、待ちたまえ、君……」

何を言われても、佐々木に教える気はなかった。

総務課長の馬場に挨拶《あいさつ》をすると、馬場は、目をしばたたいた。

「なんか、おかしな異動だったね……」

鬼龍は、この課長だけは憎めなかった。サラリーマン社会で生きていくにはつらい性格だが、なんとかうまくやってほしいと思った。

枕崎専務を亡者祓《ばら》いしたので、その派閥にいるという馬場はおそらく大丈夫だろうと鬼龍は思った。

飯島清美が、ちらりと鬼龍を見たが、もう興味をなくしたようだった。

(まあ、こんなもんだな……)

鬼龍は思って、七階に向かった。

夏葉亮子は、秘書室の机でワープロを打っていた。

鬼龍に気づくと彼女は、廊下まで出てきた。

「この会社からいなくなるのね……」

「仕事は片づいたからな……。枕崎専務はどうだ?」

「いつもと変わらないわ。昨日のことは、夢だったような気がする……」

「そう思っているといい」

「あなたがいなければ、あたしは今頃、亡者になっていたのね。助けてくれて、ありがとう」

「礼にはおよばない。仕事だからな……」

「気が向いたら、また、食事でもしましょう」

こういって、後に連絡をしてくる女はあまりいない。鬼龍は、これを別れの言葉と理解した。

「ああ、じゃあな……」

鬼龍は、エレベーターに向かった。

受付を通ると、例の受付嬢がいた。鬼龍が会釈をすると、愛想よく挨拶を返した。

会社のなかは、来たときとはうってかわって、すがすがしい雰囲気だった。陰と陽の気のバランスが取れているのだ。

鬼龍は、『小梅屋』の玄関を出てから、大きくひとつ伸びをした。


自宅でテレビを見ていると、中沢美紀が出ていた。『スクランブル女学園』だった。彼女の出番は確かに増えていた。

鬼龍は、実家に電話した。春彦が出た。武賢彦に代わってもらった。仕事の報告は武賢彦にすることになっている。

「片づいたよ」

「タレントのほうもか？」

「今、テレビに出ている」

「ちゃんと祓ったんじゃろうな」

「命がけだったよ」

「女の亡者はやっかいだからな……。おそらく、彼女は、もともと陰の気が強いんじゃ。目立ちたい、人気者になりたい、有名になりたい……。そういう気持ちが強すぎて陰の気が凝り固まってしまったんじゃ」

「祓っちまって、芸能生活に支障はないだろうな……。人気者になるチャンスを俺が潰《つぶ》したとなると、責任を感じる」

「心配ないわい。もともと陰の気を集める気質の娘だろうからな。芸能界に陰の気は満ちている」

「また陰の気が凝り固まって亡者になったらどうする？」

「一度祓われた者は、亡者にはなりにくい。免疫みたいなものじゃ」

「なるほど……」

「ところで、次の仕事だが……」

「おい、俺は命がけの仕事を片づけたばかりだぞ」

「それがどうした」

「休みをくれ」

「修行に休みなどない」

「あと一日だけでもいいから……」

「だめだ、明日《あした》、行け」

「鬼……!」

（完）

# 解説

関口苑生

どんな人でも思い当たるふしがあるだろうが、あとになって振り返ってみると、あれが人生の重大な節目だったとか、転機だったという時期や事柄が、事の大小に限らず必ずあるものだ。

もちろん、われらが今野敏にもそれはあったことだろう。単純に考えても、大学生のときに初めてまともに書いた小説が、いきなり新人賞を受賞するなどというのは、人生がひっくり返るような経験であったに違いない。

また、勤めていた会社を辞めて作家専業になったというのも、生活の根本から変わる出来事だったような気がする。さらにはプロパー作家となってからも、さらなる飛躍のきっかけや、成長の一助となった何かしらの出来事があったかもしれない。

たとえば、本書『鬼龍』がカドカワノベルズの一冊として刊行された一九九四年も、デビュー当時から彼の読者であった者の実感としては、特筆すべき一年だったように思う。その理由はおいおい述べていくけれども、まず特記したいのは、このとき初刊本のカバー袖《そで》にある著者略歴には「注目の新鋭作家である」と記されていたことだ。

一九七八年にデビューしてから十六年。専業作家となって、最初の著書『ジャズ水滸《すいこ》伝《でん》』（現在は『奏者水滸伝——阿羅漢《あらかん》集結』と改題）を発表した一九八二年から数えても十二年。すでに五十冊以上の著作があったにもかかわらず、このとき、今野敏はまだまだ新鋭作家扱いだったのである。が、まあそのこと自体はよしとしようか。多くの版元がこれと同様の捉《とら》え方をしていたし、彼の常に熱気に満《み》ち溢《あふ》れた、みずみずしさを失わない作品の数々が、自然とそう言わしめていたと考えることもできるからだ。本当に彼の小説は、読めばいつだって胸が熱くなり、身体の芯《しん》から元気の種が湧いてくる、明るくてすがすがしいものばかりであった。

とはいえ、である。さすがに、この先ずっと新鋭を謳《うた》い続けるわけにもいかない。おそらく、本人もそれは承知していたのではないか……と、そのあたりのことは想像でしかないのだが、いつまでも同じ場所にとどまっているつもりはなかったろう。ゆっくりとでいい。しかし確実に前に進んでいく。そうした変化への模索を始めたのが、一九九四年頃と見ているのだが、はたしてどうか。

では、一九九四年とはどういう年だったのか。まずは、今野敏がこの年に出した作品を列挙してみる。『拳《こぶし》と硝煙』（『赤い密約』と改題）、『追跡原生林　北八ヶ岳72時間の壁』（『チェイス・ゲーム　ボディーガード工藤兵悟《くどうひょうご》2』と改題）、『孤拳伝　群雄篇』、『蓬萊《ほうらい》』、『覇拳飛龍鬼《はけんひりゅうき》』（『臨界　潜入捜査』と改題）、『シンゲン』（『迎撃』と改題)、『孤拳伝　龍門篇』、『鬼龍』、『事件屋』の以上九作である。驚くのは、このすべてが書き下ろしなのである。四百枚前後の長篇を、ほぼひと月に一作のペースで書き上げる。気力も体力も充実しきっていないと、とてもじゃないがこんな数字は残せない。といって、乱作という感じは決してしない。当たり前のことだが、一作一作に作者の心が込められ、丁寧に仕上げている。それともうひとつ。作品が実にバラエティに富んでいることにも注目してほしい。冒険、活劇アクション、サバイバル、武道、警察、伝奇……とジャンルは多岐にわたり、中には事実と虚構が入り交じる実験的な野心作もある。また内容も危機管理や国際情勢、原発問題といった現実の諸問題を物語の背景に取り入れるなど、時代に即したものとなっていた。

今野敏にとっての一九九四年は、つまるところそういう年だったのだ。作家としての技量や限界、その他もろもろの能力をはかり、高めていくためには、とにかく書くことだと決めたのである。そうすれば、より懐が深い職人作家になることができる。

そこで思い出すのは今野敏の座右の銘、「仕事は量をやらないと質は高まらない」という言葉である。これは、親戚《しんせき》だった石ノ森章太郎《いしのもりしょうたろう》氏からアドバイスされたという。作家は作品を書くことが仕事であり、それがほとんどすべてと言ってよい。だから書く。とにかく書き続ける。すると、量から質に転換する瞬間が確実に訪れるのだと。しかし、それがいつかはわからない。わからないけれども、書いていかなければ決して訪れることはない。

実際に、手応えはすぐに表れた。多くの方々が、今野敏の転換点となった作品だと指摘する『蓬莱』がこの年に書かれたのだった。種々の事情によって、一度は中断の憂き目にあった《安積班》シリーズのスピンアウト的作品である。これによって今野敏の警察小説は息を吹き返し、さらなる飛躍と光明の道筋が見えてきたのだった。

そういう中で、本書『鬼龍』もまた数ある今野作品のうちでは、きわめてユニークな位置にある一作だ。

主人公は、修行のために「亡者祓《ばら》い」をやらされている鬼龍浩一《こういち》。彼は鬼道衆《きどうしゅう》の末裔《まつえい》でやがて跡継ぎとなる存在だが、今はまだ修行中の身で、住んでいる場所も高円寺の安アパートだった――。といきなりこういう紹介では急ぎすぎか。

まずは背景からだが「亡者」とは嫉妬《しっと》、恨み、憎しみ、恐れ、物欲、金銭欲、性欲……そういった陰の気が凝り固まり、やがて人間にとり憑いた状態を言う。亡者となった人間は、陰の力を使って人を虜にし、さらなる不幸におとしめていく。そして鬼道衆はその亡者を祓い、もとの人間に戻す力を持っていた。

鬼道衆とは陰陽道の一派とされ、役行者《えんのぎょうじゃ》や安倍晴明《あべのせいめい》よりも古く、その源流は古代、あるいは先史時代にまで遡《さかのぼ》ると言われている。そもそも鬼道という言葉も『三国志魏書東夷伝倭人条《とういでんわじんのじょう》』に見られる、

——倭国《わこく》乱れ、相攻伐すること歴年
乃ち共に一女子を立てて王と為す
名づけて卑弥呼《ひみこ》という
鬼道に事《つか》え、能《よ》く衆を惑わす——

との記述から始まったものらしい。

物語の骨子は、主人公の鬼龍浩一が亡者となった人間を探し出し、陰に対して陽の気をもって祓い、浄化するというきわめてシンプルなものだ。だが、これが今野敏の小説にしては異例といっていいほど、男女の絡み描写が多いものとなっている。陰とは淫《いん》に通じ、亡者の虜となった女性は身体全体からおそろしいほど淫の気を出して、男を惹《ひ》きつけて止まないのだった。女が男を見つめるだけで、男は興奮し、勃起《ぼっき》し、襲ってしまう……とまあ、今野作品を読み慣れている人でも、おお何だこれはと驚くに違いない。

こうした描写に加え、もう一方で彼の得意分野でもある伝奇の要素がたっぷりと詰まっており、日本だけでなく世界の歴史の裏側をちらりと覗《のぞ》かせてくれるのだ。つまりは新しい今野敏と、馴染《なじ》みのある今野敏との融合がここにあるということだ。

いや、でもしかし——こちらは冒険・活劇小説と違った意味で、読んでいて胸がどきどきし、心躍るものがある。これもまた今野敏の凄《すご》さなのだろう。

最後に蛇足的なことを記しておくと、鬼龍浩一の物語は本書の一作だけである。しかしながら、これとは別にのちに出ることになる『陰陽　祓師・鬼龍光一《こういち》』『憑物《つきもの》祓師・鬼龍光一』というシリーズの原点となった。

本書は一九九四年小社よりカドカワノベルズとして刊行され、二〇一一年中公文庫として刊行された作品を加筆修正したものです。

本作品はフィクションであり、登場する人物名、団体名など架空のものであり、現実のものとは一切関係ありません。

# 鬼龍《きりゅう》

## 今野《こんの》 敏《びん》

平成27年 3月25日 初版発行
令和6年 10月30日 13版発行

発行者●山下直久

発行●株式会社KADOKAWA
〒102-8177 東京都千代田区富士見2-13-3
電話 0570-002-301(ナビダイヤル)

角川文庫 19067

印刷所●株式会社KADOKAWA
製本所●株式会社KADOKAWA

表紙画●和田三造





ISBN978-4-04-102936-7 C0193


◆◇◇

# 角川文庫発刊に際して

角川源義

第二次世界大戦の敗北は、軍事力の敗北であった以上に、私たちの若い文化力の敗退であった。私たちの文化が戦争に対して如何に無力であり、単なるあだ花に過ぎなかったかを、私たちは身を以て体験し痛感した。西洋近代文化の摂取にとって、明治以後八十年の歳月は決して短かすぎたとは言えない。にもかかわらず、近代文化の伝統を確立し、自由な批判と柔軟な良識に富む文化層として自らを形成することに私たちは失敗して来た。そしてこれは、各層への文化の普及滲透を任務とする出版人の責任でもあった。

一九四五年以来、私たちは再び振出しに戻り、第一歩から踏み出すことを余儀なくされた。これは大きな不幸ではあるが、反面、これまでの混沌・未熟・歪曲の中にあった我が国の文化に秩序と確たる基礎を齎らすためには絶好の機会でもある。角川書店は、このような祖国の文化的危機にあたり、微力をも顧みず再建の礎石たるべき抱負と決意とをもって出発したが、ここに創立以来の念願を果すべく角川文庫を発刊する。これまで刊行されたあらゆる全集叢書文庫類の長所と短所とを検討し、古今東西の不朽の典籍を、良心的編集のもとに、廉価に、そして書架にふさわしい美本として、多くのひとびとに提供しようとする。しかし私たちは徒らに百科全書的な知識のジレッタントを作ることを目的とせず、あくまで祖国の文化に秩序と再建への道を示し、この文庫を角川書店の栄ある事業として、今後永久に継続発展せしめ、学芸と教養との殿堂として大成せんことを期したい。多くの読書子の愛情ある忠言と支持とによって、この希望と抱負とを完遂せしめられんことを願う。

一九四九年五月三日

# 角川文庫ベストセラー

## 殺人ライセンス　今野敏

高校生が遭遇したオンラインゲーム「殺人ライセンス」。ゲームと同様の事件が現実でも起こった。被害者の名前も同じであり、高校生のキュウは、同級生の父で探偵の男とともに、事件を調べはじめる――。

## 感傷の街角　大沢在昌

早川法律事務所に所属する失踪人調査のプロ佐久間公がボトル一本の報酬で引き受けた仕事は、かつて横浜で遊んでいた〝元少女〟を捜すことだった。著者23歳のデビューを飾った、青春ハードボイルド。

## 漂泊の街角　大沢在昌

佐久間公は芸能プロからの依頼で、失踪した17歳の新人タレントを追ううち、一匹狼のもめごと処理屋・岡江から奇妙な警告を受ける。大沢作品のなかでも屈指の人気を誇る佐久間公シリーズ第2弾。

## 追跡者の血統　大沢在昌

六本木の帝王の異名を持つ悪友沢辺が、突然失跡した。沢辺の妹から依頼を受けた佐久間公は、彼の不可解な行動に疑問を持ちつつ、プロのプライドをかけて解明を急ぐ。佐久間公シリーズ初の長編小説。

## 深夜曲馬団《ミッドナイトサーカス》　大沢在昌

フォトライター沢原は、狙うべき像を求めてやみくもに街を彷徨った。初めてその男と対峙した時、直感した……〝こいつだ〟と。「鏡の顔」の他、四編を収録。日本冒険小説協会最優秀短編賞受賞作品集。

# 角川文庫ベストセラー

碑銘　北方謙三

港町N市市長を巻き込んだ抗争から二年半。生き残った酒場の経営者と支配人、敵側にまわった弁護士の間に、あらたな火種が燃えはじめた。著者会心の〝ブラディ・ドール〟シリーズ第二弾！

肉迫　北方謙三

固い決意を胸に秘め、男は帰ってきた。港町N市――妻を殺された男には、闘うことしか残されていなかった。男の熱い血に引き寄せられていく女、〝ブラディ・ドール〟の男たち。シリーズ第三弾！

秋霜　北方謙三

人生の秋を迎えた画家がめぐり逢った若い女。過去も本名も知らない。何故追われるのかも。だが、男の情熱に女の過去が融けてゆく。〝ブラディ・ドール〟シリーズ第四弾！　再び熱き闘いの幕が開く。

黒銹　北方謙三

獲物を追って、この街にやってきたはずだったのに……殺し屋とピアニスト、危険な色を帯びて男の人生が交差する。ジャズの調べにのせて贈る〝ブラディ・ドール〟シリーズ第五弾！　ビッグ対談付き。

黙約　北方謙三

死ぬために生きてきた男。死んでいった友との黙約。女の激しい情熱につき動かされるようにして、外科医もまた闘いの渦に飛び込んでいく……〝ブラディ・ドール〟シリーズ第六弾。著者インタビュー付き。